ARTHUR CONAN DOYLE

O CÃO DOS BASKERVILLE

1ª EDIÇÃO

PandorgA

PANDORGA EDITORA E PRODUTORA

Todos os direitos reservados.
Copyright © 2019 by Editora Pandorga

Direção editorial
Silvia Vasconcelos
Produção editorial
Equipe Editora Pandorga
Preparação
Gabriela Peres Gomes
Revisão
Gabriela Peres Gomes
Tradução
Tania Costa Nezio
Diagramação
Danielle Fróes
Composição de capa
Lumiar Design

Texto de acordo com as normas do Novo Acordo Ortográfico da Língua Portuguesa
(Decreto Legislativo nº 54, de 1995)

Dados Internacionais de Catalogação na Publicação (CIP)

D784c Doyle, Arthur Conan
1.ed.   O cão dos Baskerville / Arthur Conan Doyle; tradução de
Tânia Costa Nezio. – 1.ed. – São Paulo: Pandorga, 2019.
176 p.; 14 x 21 cm.

ISBN: 978-85-8442-425-2

1. Literatura inglesa. 2. Ficção. 3. Aventura. 4. Sherlock
Holmes. I. Nezio, Tânia Costa. II. Título.
CDD 820

Índice para catálogo sistemático:
1. Literatura inglesa: ficção
2. Aventura: Sherlock Holmes
Bibliotecária responsável: Aline Graziele Benitez CRB-1/3129

2019
IMPRESSO NO BRASIL
PRINTED IN BRAZIL
DIREITOS CEDIDOS PARA ESTA EDIÇÃO À
EDITORA PANDORGA
Rodovia Raposo Tavares, km 22
CEP: 06709015 – Lageadinho – Cotia – SP
Tel. (11) 4612-6404

SUMÁRIO

Apresentação		7
Capítulo I	Sr. Sherlock Holmes	9
Capítulo II	A maldição dos Baskerville	16
Capítulo III	O problema	26
Capítulo IV	Sir Henry Baskerville	36
Capítulo V	Três fios partidos	48
Capítulo VI	O Solar Baskerville	59
Capítulo VII	Os Stapleton da Casa Merripit	69
Capítulo VIII	Primeiro relatório do Dr. Watson	83
Capítulo IX	A luz sobre a charneca	90
Capítulo X	Extrato do diário do Dr. Watson	108
Capítulo XI	O homem sobre o penhasco	118
Capítulo XII	Morte na charneca	131
Capítulo XIII	Armando as redes	143
Capítulo XIV	O cão dos Baskerville	155
Capítulo XV	Uma retrospectiva	166

APRESENTAÇÃO

A obra de Sir Arthur Conan Doyle (1859-1930) contempla gêneros tão variados quanto a ficção científica, as novelas históricas, a poesia e a não ficção. Porém, sem dúvida, seu maior reconhecimento vem dos contos e romances do detetive Sherlock Holmes e seu fiel parceiro e amigo, o Dr. Watson. Mais de 130 anos após sua criação, continua sendo o detetive ficcional mais popular da história.

A primeira aparição dos personagens se dá em *Um Estudo em Vermelho*, publicado em 1887 pela revista *Beeton's Christmas Annual*, que introduziu ao público aqueles que se tornariam os mais conhecidos personagens de histórias de detetive da literatura universal. Doyle não esconde que a obra de Edgar Allan Poe teve grande influência em sua escrita. O personagem de Monsieur C. Auguste Dupin, de *Os assassinatos na Rua Morgue*, em muito ajudou a compor Holmes, principalmente no que diz respeito à técnica do "princípio da dedução", utilizada para resolver os casos. Mas é com Holmes e Watson que o método é imortalizado.

Os contos nunca deixaram de ser reimpressos desde que o primeiro deles foi publicado, e são traduzidos até hoje em diversas línguas pelo mundo. Centenas de encenações encarnaram a dupla nos palcos, no rádio e nas telas; revistas e livros sobre o detetive são lançados todo ano. Infinitamente imitado, parodiado e citado, Holmes já foi identificado como uma das três personalidades mais conhecidas do mundo ocidental, ao lado de Mickey Mouse e do Papai Noel.

Outros trabalhos de Conan Doyle foram obscurecidos pelo personagem, e, em dezembro de 1893, ele mata Holmes no conto *O problema final* (*Memórias de Sherlock Holmes*), mas o ressuscita no romance *O Cão dos Baskerville*, publicado entre 1902 e 1903, e no conto *A Casa Vazia* (*A ciclista solitária*), de 1903, quando Conan Doyle sucumbe à pressão do público e revela que o detetive conseguiu burlar a morte.

CAPÍTULO I

Sr. Sherlock Holmes

Sr. Sherlock Holmes, que costumava acordar muito tarde, a não ser nas frequentes ocasiões em que passava a noite em claro, estava agora sentado à mesa fazendo seu desjejum. Em pé no tapetinho junto à lareira, peguei a bengala que nosso visitante esquecera ali na noite anterior. Era peça de madeira grossa e de boa qualidade, com o cabo bulboso, do tipo conhecido como *Penang lawyer*[1]. Logo abaixo da ponta, via-se uma larga faixa de prata de mais de dois centímetros de largura, em que estava gravado: "Para James Mortimer, M.R.C.S., de seus amigos do C.C.H.," com a data "1884." Era exatamente o tipo de bengala que costumavam usar os antiquados médicos de família: digna, sólida e reconfortante.

— Então, Watson, o que você deduz sobre ela?

Holmes estava sentado de costas para mim, e eu não lhe dera nenhuma indicação do que estava fazendo.

— Como você soube o que eu estava fazendo? Acho que você tem olhos na sua nuca.

— Eu tenho, pelo menos, um bule de prata bem polido à minha frente — replicou. — Mas, diga-me, Watson, o que você deduz sobre a bengala de nosso visitante? Já que tivemos o infortúnio de não encontrá-lo e não temos a menor ideia de sua missão, esse souvenir acidental adquire uma grande importância. Deixe-me ouvi-lo descrever o homem mediante um exame da bengala.

---

1. Uma bengala feita da haste de uma palmeira do leste asiático. (N. T.)

— Acho — comecei, seguindo na medida do possível os métodos do meu companheiro — que o Dr. Mortimer é um homem idoso e bem-sucedido, e muito estimado já que seus amigos lhe dão essa prova de estima.

— Muito bem! — disse Holmes. — Excelente!

— Também acho que existe uma grande probabilidade de ele ser um médico rural que faz várias visitas aos seus pacientes a pé.

— E por quê?

— Porque esta bengala, embora originalmente tenha sido muito elegante, já levou tantas pancadas que não consigo imaginar um médico da cidade carregando-a. A grossa ponteira de ferro está tão gasta que é evidente que ele fez inúmeras caminhadas com ela.

— Perfeitamente lógico! — disse Holmes.

— Além disso, tem os amigos do C.C.H. Eu diria que é algo relacionado à caça, o grupo local de caçadores a cujos membros ele possivelmente prestou alguma assistência cirúrgica, e recebeu um pequeno presente em retribuição.

— Francamente, Watson, você se supera — disse Holmes, empurrando a cadeira para trás e acendendo um cigarro. — Sou obrigado a lhe dizer que, de todos os relatos que você teve a bondade de fazer sobre as minhas pequenas façanhas, em geral você subestimou suas próprias aptidões. Pode ser que você não seja luminoso, mas é um condutor de luz. Há pessoas que, sem possuir gênio, têm o extraordinário poder de estimulá-lo. Confesso, meu caro amigo, que tenho uma grande dívida para com você.

Ele nunca tinha dito isso antes, e devo admitir que suas palavras me deram um grande prazer, pois muitas vezes me senti magoado por sua indiferença à minha admiração e às tentativas que eu fizera para divulgar seus métodos. Também senti-me orgulhoso de pensar que tinha conseguido dominar seu sistema a ponto de aplicá-lo de uma maneira digna de sua aprovação. Então, ele pegou a bengala de minhas mãos e a examinou por alguns minutos a olho nu. Então, com uma expressão de interesse, ele largou o cigarro e, carregando a bengala até a janela, voltou a examiná-la com uma lente convexa.

— Interessante, apesar de ser elementar — disse enquanto voltava para seu canto favorito do sofá. — Tem certamente um ou dois indícios na bengala. Isso nos serve de base para várias deduções.

— Alguma coisa me escapou? — perguntei com certa presunção.

— Eu espero que não tenha deixado passar nada de importante!

— Receio, meu caro Watson, que a maioria de suas conclusões tenha sido errônea. Quando eu disse que você me estimulou, para ser franco, eu quis dizer que, ao notar suas falácias, fui guiado ocasionalmente para a verdade. Não que você esteja completamente errado neste caso. O homem é certamente um médico rural. E ele realmente anda muito.

— Então eu estava certo.

— Até certo ponto.

— Mas isso não é tudo.

— Não, não, meu caro Watson, não é tudo, de forma alguma. Eu gostaria de sugerir, por exemplo, que é mais provável que um presente para um médico tenha vindo de um hospital, e não de um grupo de caçadores, e, quando vejo as iniciais "C.C." antes das iniciais desse Hospital, as palavras "Charing Cross" se insinuam muito naturalmente.

— Você pode estar certo.

— As probabilidades indicam essa direção. E, se tomarmos isso como uma hipótese para o nosso trabalho, temos uma nova base para começar a construção desse visitante desconhecido.

— Bem, então supondo que "C.C.H." represente "Charing Cross Hospital", que outras conclusões podemos extrair?

— Não lhe vem nada à mente? Você conhece meus métodos. Aplique-os!

— Eu só consigo pensar na conclusão óbvia de que o homem clinicou na cidade antes de ir para a zona rural.

— Acho que podemos nos aventurar um pouco mais além. Olhe por esta luz. Em que ocasião seria mais provável que tal presente lhe fosse dado? Quando seus amigos se uniriam para lhe dar uma promessa de sua estima? Obviamente, no momento em que o Dr. Mortimer parou de trabalhar no hospital para começar a clinicar por conta própria. Nós sabemos que teve um presente. Acreditamos que houve uma mudança de um hospital na cidade para uma clínica na zona rural.

Então, seria levar longe demais a nossa conclusão e dizer que o presente foi dado por essa ocasião?

— Certamente parece provável.

— Agora, você precisa observar que ele não podia estar na equipe do hospital, já que apenas um médico com uma boa clientela em Londres poderia ter tal posição, e tal pessoa não se mudaria para a zona rural. O que ele era então? Se ele estava no hospital, mas não pertencia à equipe, ele só podia ser um médico ou um cirurgião residente, pouco mais do que um estudante. E ele saiu há cinco anos, a data está na bengala. Então seu médico de família circunspecto, de meia-idade, desaparece no ar, meu caro Watson, e surge um jovem com menos de trinta anos, amável, sem nenhuma ambição, distraído e dono de um cão de estimação, que posso descrever como sendo maior que um terrier e menor que um mastim.

Ri, incrédulo, quando Sherlock Holmes se recostou no sofá e soprou pequenos anéis de fumaça para o teto.

— Quanto à última parte, não tenho como verificá-la — disse eu —, mas pelo menos não é difícil descobrir alguns detalhes sobre a idade e carreira profissional do homem.

De minha pequena estante com livros de medicina, peguei o *Medical Directory* e localizei o nome. Tinham vários Mortimer, mas apenas um que podia ser o nosso visitante. Li sua ficha em voz alta:

"*Mortimer, James, M.R.C.S., 1882, Grimpen, Dartmoor, Devon. Cirurgião residente de 1882 a 1884, no Charing Cross Hospital. Vencedor do prêmio Jackson de Patologia Comparada, com o ensaio intitulado 'É a doença uma reversão?', Membro correspondente da Sociedade Sueca de Patologia. Autor de 'Alguns caprichos do atavismo' (Lancet, 1882), e de 'Estamos progredindo?' (Journal of Psychology, março de 1883). Médico encarregado das paróquias* de *Grimpen, Thorsley e High Barrow.*"

— Nenhuma menção à caça local, Watson — disse Holmes com um sorriso travesso —, mas um médico rural, como você muito astutamente observou. Acredito que estou razoavelmente justificado em minhas conclusões. Quanto aos adjetivos, eu disse, se bem me lembro, amável, sem nenhuma ambição e distraído. É minha experiência que apenas um homem amável neste mundo recebe homenagens, apenas um homem sem nenhuma ambição abandona uma carreira em Londres para clinicar na zona rural, e apenas um homem distraído deixa sua bengala e não seu cartão de visita após esperar uma hora pelo dono da casa.

— E o cão?

— Tem o hábito de carregar esta bengala atrás de seu dono. Sendo uma bengala pesada, o cão a segura com força no meio e as marcas de seus dentes são bem visíveis. A mandíbula do cachorro, como mostrado no espaço entre essas marcas, é muito ampla, em minha opinião, para um terrier e não suficientemente ampla para um mastim. Poderia ser... sim, por Deus, é um spaniel de pelo encaracolado.

Ele tinha se levantado e andava pela sala enquanto falava. Nesse instante, parou no recuo da janela. Tinha tanta convicção em sua voz que olhei para ele, surpreso.

— Meu caro amigo, como você pode ter tanta certeza disso?

— Pela simples razão de ver o próprio cachorro à nossa porta, com o seu dono tocando a campainha. Não se mova, eu imploro, Watson. Ele é seu irmão de profissão, e sua presença pode ser útil para mim. Agora é o momento dramático do destino, Watson, quando ouvimos na escada passos que entram em nossas vidas, e não sabemos se para o bem ou para o mal. O que o Dr. James Mortimer, um homem da ciência, vem pedir a Sherlock Holmes, especialista em crime? Entre!

A aparência do nosso visitante foi uma surpresa para mim, já que eu esperava um típico médico rural. Ele era um homem muito alto e magro, com um nariz comprido e adunco que se projetava entre dois olhos cinzentos e aguçados, muito próximos um do outro, e que cintilavam por trás de um par de óculos de aros dourados. Estava vestido de maneira profissional, mas desleixada, porque sua sobrecasaca estava suja e as calças, puídas. Embora jovem, suas longas costas já estavam curvadas, e ele andava espichando a cabeça para frente, com um ar de perscrutadora benevolência. Quando entrou, seus olhos recaíram sobre a bengala na mão de Holmes, e ele correu em direção a ela com uma exclamação de alegria.

— Estou muito feliz — disse ele. — Eu não tinha certeza se a tinha deixado aqui ou na Agência Marítima. Eu não gostaria de perder essa bengala por nada neste mundo.

— Um presente, pelo que vejo — falou Holmes.

— Sim, senhor.

— Do Charing Cross Hospital?

— De um ou dois amigos de lá por ocasião do meu casamento.

— Oh, Deus, isso é ruim! — disse Holmes, meneando a cabeça.

O Dr. Mortimer piscou através dos óculos e olhou para ele, espantado.

— Por que é ruim?

— Apenas porque você desarrumou nossas pequenas conclusões. Você disse que se casou?

— Sim, senhor. Casei-me e por isso saí do hospital, e, com a saída, deixei toda a esperança de um consultório. Foi necessário criar um lar para mim.

— Bem, então não estamos tão errados, afinal — disse Holmes. — E agora, Dr. James Mortimer...

— Senhor, por favor, senhor, um humilde M.R.C.S[2].

— É um homem de mente precisa, evidentemente.

— Um diletante na ciência, Sr. Holmes, um catador de conchas nas margens do grande oceano desconhecido. Presumo que seja o Sr. Sherlock Holmes a quem estou me dirigindo, e não...

— Não, esse é meu amigo Dr. Watson.

— Prazer em conhecê-lo, senhor. Eu ouvi o seu nome mencionado em conexão com o do seu amigo. Você me interessa muito, Sr. Holmes. Na verdade, eu não esperava um crânio tão dolicocéfalo ou um desenvolvimento supraorbital tão acentuado. O senhor faria alguma objeção a que eu passe o dedo ao longo de sua fissura parietal? Um molde de seu crânio, senhor, até que o original esteja disponível, seria um ornamento para qualquer museu antropológico. Não é minha intenção ser adulador, mas confesso que cobiço seu crânio.

---

2. Member of the Royal College os Surgeons – Membro do Instituto Real de Cirurgiões. (N.T)

Sherlock Holmes apontou uma cadeira para nosso estranho visitante.

— Posso perceber que o senhor é um entusiasta em sua linha de pensamento, como eu na minha — disse ele. — Observo por seu dedo indicador que faz seus próprios cigarros. Não hesite em acender um.

O homem tirou papel e tabaco e enrolou um no outro com surpreendente destreza. Ele tinha dedos longos e trêmulos, tão ágeis e inquietos quanto às antenas de um inseto.

Holmes ficou em silêncio, mas seus pequenos olhares rápidos me mostraram o interesse que sentia por nosso curioso visitante.

— Presumo, senhor — disse ele por fim —, que não foi apenas com o propósito de examinar meu crânio que me deu a honra de sua visita ontem à noite e de novo hoje, certo?

— Não, senhor, não, embora me sinta feliz por ter tido essa oportunidade. Vim procurá-lo, Sr. Holmes, porque reconheço que sou um homem pouco prático e porque, de repente, deparo-me com um problema extremamente sério e extraordinário. Reconhecendo, como reconheço, que o senhor é o segundo maior especialista da Europa...

— Realmente, senhor? Posso perguntar quem tem a honra de ser o primeiro? — perguntou Holmes com certa aspereza.

— Para o homem de mente rigorosamente científica, o trabalho de Monsieur Bertillon tem um apelo demasiadamente forte.

Então não seria melhor consultá-lo?

— Eu disse, senhor, para a mente rigorosamente científica. Mas, como um homem prático, é reconhecido que ninguém iguala o senhor. Eu espero, senhor, não ter inadvertidamente...

— Só um pouco — disse Holmes. — Eu acho, Dr. Mortimer, que seria sábio se você, sem mais delongas, gentilmente me dissesse claramente qual é a natureza exata do problema para o qual você pede minha ajuda.

CAPÍTULO II

A maldição dos Baskerville

— Tenho um manuscrito no bolso — disse o Dr. James Mortimer.
— Eu observei quando você entrou na sala — disse Holmes.
— É um manuscrito antigo.
— Do início do século XVIII, a menos que seja uma falsificação.
— Como pode saber isso, senhor?
— O senhor exibiu uns cinco centímetros dele ao meu exame todo o tempo em que esteve falando. Somente um pífio especialista não poderia precisar a data de um documento dentro de uma margem de erro de cerca de uma década. Talvez tenha lido minha pequena monografia sobre o assunto. Estimo que a data é 1730.
— A data exata é 1742. — Dr. Mortimer tirou-o do bolso interno do paletó. — Este documento de família foi confiado aos meus cuidados por Sir Charles Baskerville, cuja morte súbita e trágica, há cerca de três meses, gerou muita comoção em Devonshire. Posso dizer que eu era seu amigo pessoal e também seu médico particular. Ele era um homem de mente forte, senhor, astuto, prático e tão desprovido de imaginação quanto eu próprio. No entanto, levava este documento muito a sério, e sua mente estava preparada para um fim semelhante ao que acabou lhe acontecendo.

Holmes estendeu a mão para o manuscrito e alisou-o no joelho.
— Você pode observar, Watson, o uso alternativo do **s** longo e do curto. É uma das várias indicações que me permitiram estimar a data.

Olhei por cima do ombro para o papel amarelo e a escrita desbotada. No cabeçalho estava escrito: "Solar Baskerville", e, abaixo, em grandes figuras rabiscadas: "1742."

— Parece ser uma espécie de relato.

— Sim, é o relato de uma certa lenda que corre na família Baskerville.

— Mas suponho que seja sobre algo mais recente e prático que você deseja me consultar?

— Bem mais recente. Um assunto extremamente prático, urgente, que deve ser decidido dentro de vinte e quatro horas. Mas o manuscrito é curto e está intimamente ligado ao caso. Com sua permissão, vou lê-lo para o senhor.

Holmes recostou-se na cadeira, juntou as pontas dos dedos e fechou os olhos, com ar de resignação. O Dr. Mortimer virou o manuscrito para a luz e leu em voz alta e trêmula a seguinte curiosa e antiquada narrativa:

Tem havido muitos relatos acerca da origem do Cão dos Baskerville, no entanto, como descendente direto de Hugo Baskerville, e como ouvi a história do meu pai, que também a ouviu do seu, tenho plena convicção de que isso ocorreu como está aqui registrado. E gostaria que acreditásseis, meus filhos, que a mesma Justiça que pune o pecado também pode muito graciosamente perdoá-lo, e que nenhuma condenação é tão pesada que não possa, mediante oração e arrependimento, ser removida. Aprendei, então, com esta história a não temer os frutos do passado, mas a serdes prudentes no futuro, a fim de que as piores paixões pelas quais nossa família sofreu tão gravemente não venham a ser novamente libertadas para nossa ruína.

Saibam que no tempo da Grande Rebelião (cujo registro feito pelo sábio Lord Clarendon eu sinceramente recomendo à vossa atenção) esta Mansão de Baskerville pertencia ao Hugo desse nome, e ninguém podia negar que ele era um homem selvagem, profano e sem Deus. Isso, na verdade, seus vizinhos poderiam ter perdoado, visto que os santos nunca floresceram nessas regiões, mas havia nele certa disposição desumana e cruel que tornou seu nome proverbial no Oeste. Aconteceu que esse Hugo veio a amar (se, de fato, uma paixão tão nefasta pode ser conhecida com um nome tão brilhante) a filha de um proprietário de terras próximas às de Baskerville. Mas a jovem donzela, sendo discreta e de boa reputação, sempre o evitava, pois temia sua má fama. Então, aconteceu que na festa de São Miguel, esse Hugo, com cinco ou seis de seus companheiros ociosos e devassos, invadiu a fazenda e raptou a donzela, estando ou pai e irmãos dela fora de casa, como ele bem sabia. Quando a levaram para o Solar, a donzela foi colocada em um quarto no andar superior, enquanto Hugo e seus amigos se sentaram para uma grande bebedeira, como era seu costume noturno. Ora, a pobre moça no andar de cima quase enlouqueceu com os cantos, gritos e terríveis juramentos que vinham da parte de baixo, pois dizem que as palavras usadas por Hugo Baskerville, quando estava embriagado, eram tão pesadas que podiam explodir o homem que as dizia. Finalmente, na tensão de seu medo, ela fez o que poderia ter intimidado o homem mais corajoso ou mais ágil, pois, com a ajuda da hera que cobria (e ainda cobre) a parede sul, desceu pendurando-se no beiral e, assim, voltou para casa através da charneca, três léguas separando o Solar da fazenda de seu pai.

 Aconteceu que, pouco tempo depois, Hugo deixou seus convidados para levar comida e bebida – com outras coisas piores, talvez – à sua cativa, e, assim, encontrou a gaiola vazia e viu que o pássaro tinha escapado. Então, ao que parece, ele ficou endemoniado, pois, correndo escada abaixo em direção à sala de jantar, saltou sobre a mesa, jarras e travessas voando diante dele, e gritou diante de todos que, se conseguisse alcançar a moça, ele daria seu corpo e alma às Forças do Mal naquela mesma noite. E, enquanto seus companheiros ficavam horrorizados com a fúria do homem, um mais perverso ou, talvez, um mais bêbado do que os outros, clamou que eles deviam pôr os cães atrás dela. Hugo saiu correndo da casa, gritando para seus criados que selassem sua égua e soltassem os cães. Dando aos cães um lenço da jovem, atiçou-os, fazendo-os sair em grande velocidade pela charneca enluarada.

 Por algum tempo, seus companheiros ficaram boquiabertos, incapazes de entender tudo o que tinha sido feito com tanta pressa. Mas logo eles tomaram consciência do ato que estava prestes a ter lugar nas charnecas. Tudo transformou-se em um grande alvoroço, alguns pedindo por suas pistolas, alguns por seus cavalos, e alguns por outra garrafa de vinho. Mas finalmente algum sentido voltou para suas mentes enlouquecidas, e todos eles, em número de treze, cavalgaram e iniciaram a perseguição. A lua brilhava acima deles, e cavalgaram rapidamente, tomando o rumo que a jovem devia ter tomado para chegar à sua casa.

Eles tinham percorrido dois ou três quilômetros quando passaram por um dos pastores noturnos nas charnecas e perguntaram-lhe aos gritos se tinha visto a caçada. E o homem, segundo relatam, ficou com tanto medo que mal conseguia falar, mas por fim disse que realmente vira a donzela infeliz com os cães em seu rastro. "Mas eu vi mais do que isso", disse ele, "pois Hugo Baskerville passou por mim em sua égua negra, e atrás dele corria, em silêncio, um cão do inferno que Deus me livre de o ter um dia a meu encalço." Então, os companheiros bêbados amaldiçoaram o pastor e seguiram adiante. Mas logo suas peles se enregelaram, pois eles ouviram um galope vindo pela charneca, e a égua negra, mergulhada em espuma branca, passou arrastando as rédeas e com a sela vazia. Assim, os companheiros começaram a cavalgar mais próximos um do outro, pois um grande medo se abateu sobre eles, mas ainda seguiam pela charneca, embora, se estivessem sozinhos, teriam ficado felizes em dar meia-volta no cavalo. Cavalgando devagar dessa maneira, finalmente alcançaram os cães. Estes, embora conhecidos por seu valor e sua raça, ganiam amontoados no alto de um profundo barranco na charneca, alguns se esquivando e alguns com o pelo eriçado e olhos arregalados, fitando o estreito vale diante deles.

O grupo de homens parou, agora mais sóbrios, como podeis imaginar, do que quando começaram. A maioria deles não avançaria de forma alguma, mas três deles, os mais ousados, ou os mais embriagados, seguiram em frente na direção do barranco. Ele se abria em um amplo espaço onde ficavam duas daquelas grandes pedras, que ainda podem ser vistas ali, que foram colocadas por certos povos esquecidos nos tempos antigos. A lua brilhava sobre a clareira e, no centro, jazia a infeliz donzela caída, morta de medo e fadiga. Mas não foi a visão de seu corpo, ou do corpo de Hugo Baskerville, estendido ao lado dela, que arrepiou os três destemidos gozadores, mas o que viram em cima de Hugo, agarrado à sua garganta, uma coisa horrenda, uma fera enorme e negra, com a forma de um cão de caça, bem maior do que qualquer cão que o olho de um mortal já tenha visto. E mesmo enquanto eles olhavam, a coisa *arrancou parte da garganta de Hugo Baskerville, e, quando a besta virou seus olhos ardentes e a mandíbula ensanguentada para eles, os três começaram a berrar de medo e fugiram gritando desesperados pela charneca. Um deles, contam, morreu naquela mesma noite por conta do que tinha visto, e os outros dois permaneceram com espíritos avariados pelo resto de seus dias.*

Esta é a história, meus filhos, da vinda do cão que dizem que, desde então, atormenta a família tão dolorosamente. Se a registrei por escrito é porque aquilo que é claramente conhecido causa menos terror do que o que é insinuado e sugerido. Tampouco se pode negar que muitas pessoas da família foram infelizes em suas mortes, que foram súbitas, sangrentas e misteriosas. No entanto, possamos nos abrigar na infinita bondade da Providência, que não puniria para sempre os inocentes além da terceira ou quarta geração que é ameaçada nas Sagradas Escrituras.

A essa Providência, meus filhos, recomendo-vos e aconselho, por medida de cautela, que evitem cruzar a charneca naquelas horas sombrias, quando os poderes do mal estão exaltados.

[De Hugo Baskerville a seus filhos Rodger e John, com instruções de que nada digam a sua irmã Elizabeth.].

Quando o Dr. Mortimer terminou de ler essa singular narrativa, ele ergueu os óculos na testa e olhou para Sherlock Holmes. Este último bocejou e jogou a ponta do cigarro no fogo.

— Bem? — perguntou ele.

— Você não acha interessante?

— Para um colecionador de contos de fadas.

O Dr. Mortimer tirou um jornal dobrado do bolso.

— Agora, Sr. Holmes, nós lhe daremos algo um pouco mais recente. Este é o *Devon County Chronicle* de 14 de maio deste ano. É uma breve descrição dos fatos que vieram à tona quando da morte de Sir Charles Baskerville, ocorrida alguns dias antes dessa data.

Meu amigo inclinou-se um pouco para frente e sua expressão se tornou atenta. Nosso visitante reajustou os óculos e começou:

A recente morte súbita de Sir Charles Baskerville, cujo nome foi mencionado como provável candidato liberal para Mid-Devon na próxima eleição, fez com que uma tristeza pairasse sobre o condado. Embora Sir Charles tenha residido no Solar Baskerville por um período relativamente curto, sua amabilidade de caráter e extrema generosidade conquistaram o afeto e o respeito de todos que entraram em contato com ele. Nesses dias de novos ricos, é reconfortante encontrar um caso em que o descendente de uma antiga família do condado acometida pela adversidade é capaz de fazer sua própria fortuna e trazê-la de volta consigo para restaurar a grandeza de sua linhagem. Sir Charles, como é bem conhecido, ganhou grandes somas de dinheiro em especulações na África do Sul. Mais sábio do que aqueles que continuam até a roda da fortuna se voltar contra eles, ele converteu seus ganhos em dinheiro e retornou para a Inglaterra. Faz apenas dois anos que passou a morar no Solar Baskerville, e dizem que grandes projetos de reconstrução e melhorias foram interrompidos por sua morte. Não tendo filhos, era seu desejo que toda a região, durante sua vida, se beneficiasse de sua boa fortuna, e muitos vão ter motivos pessoais para lamentar seu fim prematuro. Suas generosas doações para instituições de caridade locais e as do condado foram frequentemente registradas nestas colunas.

Não se pode dizer que as circunstâncias relacionadas à morte de Sir Charles tenham sido inteiramente esclarecidas pelo inquérito, mas pelo menos o suficiente foi feito para eliminar os rumores que a superstição local deu origem. Não há razão alguma para suspeitar de crime ou para imaginar que possa ter sido produzida por outra coisa senão causas naturais. Sir Charles era um viúvo e um homem que se pode dizer que, de certa forma, tinha disposições um tanto excêntricas. Apesar de sua considerável fortuna, ele era simples em seus gostos pessoais, e sua criadagem no Solar Baskerville consistia em um casal chamado Barrymore, o marido atuando como mordomo e a esposa como governanta. Seus testemunhos, corroborados pelos seus vários amigos, tendem a mostrar que a saúde de Sir Charles estava, já há algum tempo, prejudicada, e apontam especialmente para alguma afecção do coração, manifestando-se em mudanças de cor, falta de ar e ataques agudos de depressão *nervosa. O Dr. James Mortimer, amigo e médico particular do falecido, testemunhou o mesmo.*

Os fatos do caso são simples. Sir Charles Baskerville tinha o hábito de todas as noites, antes de ir para a cama, andar pela famosa Aleia de Teixos³ do Solar Baskerville. O testemunho dos Barrymore mostra que era esse o seu costume. No dia 4 de maio, Sir Charles declarou sua intenção de partir no dia seguinte para Londres e ordenou que Barrymore preparasse sua bagagem. Naquela noite, ele saiu como de costume para a sua caminhada noturna, durante a qual tinha o hábito de fumar um charuto. Ele nunca voltou. À meia-noite, Barrymore, encontrando a porta do solar ainda aberta, ficou alarmado e, acendendo uma lanterna, foi em busca de seu patrão. Havia chovido naquele dia e as pegadas de Sir Charles foram facilmente localizadas na Aleia. Na metade do caminho, há um portão que leva à charneca.

Havia indícios de que Sir Charles ficara por algum tempo ali. Ele então desceu a Aleia, e foi na extremidade dela que seu corpo foi encontrado. Um fato não elucidado foi a declaração de Barrymore de que as pegadas de seu patrão se modificaram a partir do momento em que ele transpôs o portão da charneca, e que daquele ponto em diante parecia que ele tinha caminhado na ponta dos pés. Um homem chamado Murphy, um cigano negociante de cavalos, estava na charneca naquele momento, não muito distante dali, mas confessou que estava um pouco bêbado. Declarou ter ouvido gritos, mas foi incapaz de afirmar de que direção eles vieram. Nenhum sinal de violência foi descoberto no corpo de Sir Charles, embora o depoimento do médico apontasse para uma distorção facial quase inacreditável, tão grande que a princípio o Dr. Mortimer se recusou a acreditar que era de fato seu amigo e paciente que estava diante dele, foi explicado que esse é um sintoma que não é incomum em casos de dispneia e morte por exaustão cardíaca. Essa explicação foi corroborada pelo exame post-mortem, que mostrou doença orgânica de longa data, e o júri de instrução pronunciou um veredicto de acordo com o depoimento do médico. É bom que assim seja, pois é obviamente

---

3. Teixo é o nome popular de uma árvore da família das Texáceas, originária da região mediterrânea e do sudoeste da Ásia. (N.T)

de extrema importância que o herdeiro de Sir Charles se estabeleça no Solar e continue o bom trabalho que foi tão tristemente interrompido. Se o resultado prático do legista não tivesse finalmente posto fim às histórias românticas que foram sussurradas em conexão com o caso, poderia ter sido difícil encontrar um inquilino para o Solar Baskerville. Entende-se que o parente mais próximo é o Sr. Henry Baskerville, se ainda estiver vivo, filho do irmão mais novo de Sir Charles Baskerville. O rapaz, quando se teve notícias dele pela última vez, estava na América, e investigações estão sendo feitas com o objetivo de lhe informar sua boa sorte.

O Dr. Mortimer dobrou o jornal e guardou-o no bolso.

— Esses são os fatos públicos, Sr. Holmes, conectados com a morte de Sir Charles Baskerville.

— Devo lhe agradecer — disse Sherlock Holmes — por chamar minha atenção para um caso que certamente apresenta algumas características de interesse. Na época, eu tinha observado alguns comentários no jornal, mas estava extremamente preocupado com aquele pequeno caso dos camafeus do Vaticano e, em minha ansiedade em servir ao papa, perdi contato com vários casos ingleses interessantes. Este artigo, você diz, contém todos os fatos públicos?

— Sim, contém.

— Então, conte-me os privados. — Ele se inclinou para trás, juntou as pontas dos dedos e assumiu sua expressão mais impassível e crítica.

— Ao fazê-lo — disse o Dr. Mortimer, que começava a mostrar sinais de alguma forte emoção —, estou contando aquilo que não confiei a ninguém. Meu motivo para recusar a revelar isso ao júri de instrução é que um homem de ciência se esquiva de colocar-se na posição pública de endossar uma superstição popular. Eu tinha o motivo adicional de que o Solar Baskerville, como diz o jornal, certamente permaneceria desabitado se algo fosse feito para aumentar sua já sombria reputação. Por esses dois motivos, achei que tinha justificativa em dizer muito menos do que sabia, já que nenhum bem prático poderia resultar disso, mas, para você, não existe nenhuma razão para que eu não seja franco.

"A charneca é muito pouco habitada e os que moram perto são muito unidos. Por essa razão, eu estava frequentemente com Sir Charles Baskerville. Com exceção do Sr. Frankland, do Solar Lafter, e do Sr. Stapleton, o naturalista, não tinha nenhum outro homem instruído em muitos quilômetros. Sir Charles era um homem reservado, mas a sua doença nos uniu e interesses comuns na ciência nos mantiveram assim. Ele trouxera muitas informações científicas da África do Sul, e passamos muitas noites encantadoras discutindo a anatomia comparada dos bosquímanos e dos hotentotes.

"Nos últimos meses, ficou cada vez mais claro para mim que o sistema nervoso de Sir Charles estava tenso a ponto de um colapso. Ele tinha levado demasiado a sério essa lenda que li para o senhor, tanto que, embora ele andasse por sua propriedade, nada o induziria a sair na charneca à noite. Por mais incrível que possa parecer a você, Sr. Holmes, ele estava sinceramente convencido de que um destino terrível ameaçava sua família, e certamente os registros que ele tinha de seus antepassados não eram encorajadores. A ideia de alguma presença medonha constantemente o assombrava, e em mais de uma ocasião, ele me perguntou se eu, nas jornadas noturnas para as minhas visitas médicas, já vira alguma criatura estranha ou ouvira o latido de um cão. Repetiu-me essa pergunta várias vezes, e sempre com uma voz que vibrava de agitação.

"Eu me lembro de ter ido à sua casa certa noite, umas três semanas antes do evento fatal. Por acaso, ele estava parado à porta do solar. Eu tinha descido do meu cabriolé e estava em pé na frente dele, quando vi seus olhos se fixarem acima do meu ombro, e ele olhou além de mim com uma expressão de intenso horror. Virei-me rapidamente e tive apenas tempo para vislumbrar algo que tomei como um grande bezerro preto passando na frente da entrada. Ele ficou tão agitado e alarmado que fui compelido a seguir até o local onde o animal estivera e procurar por ele. No entanto, desaparecera, e o incidente pareceu causar a pior impressão em sua mente. Fiquei com ele a noite toda, e foi nessa ocasião, para explicar a emoção que ele demonstrara, que me confidenciou a narrativa que li para o senhor quando cheguei. Menciono esse pequeno episódio porque ele assume alguma importância em vista da tragédia que se seguiu, mas na época eu estava convencido de que o assunto era totalmente trivial e que seu estado de agitação não tinha justificativa.

"Foi a meu conselho que Sir Charles estava prestes a ir para Londres. Seu coração estava, eu sabia, afetado, e a ansiedade constante em que ele vivia, por mais quimérica que fosse a sua causa, evidentemente estava afetando sua saúde em demasia. Pensei que alguns meses entre as distrações da cidade poderiam trazê-lo de volta como um novo homem. Sr. Stapleton, um amigo em comum, que também estava muito preocupado com seu estado de saúde, compartilhava da mesma opinião que eu. No último instante, aconteceu essa terrível catástrofe.

"Na noite da morte de Sir Charles, Barrymore, o mordomo, que encontrou o corpo, mandou Perkins, o cavalariço, ir até a minha casa, e, como eu estava acordado, consegui chegar ao Solar Baskerville uma hora após o ocorrido. Verifiquei e corroborei todos os fatos que foram mencionados no inquérito. Segui as pegadas ao longo da Aleia dos Teixos, vi o local perto do portão da charneca onde ele parecia ter esperado, observei a mudança na forma das pegadas depois desse ponto, constatei que não havia outros passos além dos de Barrymore no cascalho macio, e finalmente examinei cuidadosamente o corpo, que não tinha sido tocado até a minha chegada. Sir Charles estava deitado de bruços, os braços abertos, os dedos enterrados no chão, e suas feições estavam tão convulsionadas por alguma emoção forte que eu mal podia atestar sua identidade. Certamente não houve ferimento físico de nenhum tipo. Mas uma declaração falsa foi feita por Barrymore no inquérito. Ele disse que não havia vestígios no chão ao redor do corpo. Ele não observou nenhuma. Mas eu, sim... um pouco distantes, mas frescas e nítidas."

— Pegadas?

— Pegadas.

— De homem ou de mulher?

O Dr. Mortimer fitou-nos estranhamente por um instante, e sua voz era quase um sussurro ao responder:

— Eram as pegadas de um gigantesco cão de caça, Sr. Holmes!

CAPÍTULO III
O problema

Confesso que após essas palavras um arrepio passou por mim. Tinha uma emoção na voz do médico que mostrava que ele estava profundamente comovido pelo o que tinha nos dito. Holmes inclinou-se para frente em seu entusiasmo e seus olhos tinham o brilho duro e seco que adquiriam quando ele estava profundamente interessado.

— Você viu isso?
— Tão claramente como estou lhe vendo.
— E não disse nada?
— De que adiantaria?
— Como foi que ninguém mais viu isso?
— As marcas estavam a uns vinte metros do corpo e ninguém deu a menor atenção. Acredito que eu também não teria dado se não conhecesse essa lenda.
— Há muitos cães pastores na charneca?
— Sem dúvida, mas não era um cão pastor.
— Você disse que era grande?
— Enorme.
— Mas ele não se aproximou do corpo?
— Não.
— Como estava o clima naquela noite?
— Úmido e frio.
— Mas não estava chovendo?
— Não.
— Como é a Aleia?

— Há duas linhas de sebes de teixo velho, de três metros e meio de altura e impenetráveis. O caminho no centro tem cerca de dois metros e meio de largura.
— Existe alguma coisa entre as sebes e o caminho?
— Sim, uma faixa de grama com cerca de dois metros de largura em ambos os lados.
— Pelo que entendi a sebe de teixos é interrompida em um ponto por um portão?
— Sim, a cancela que leva à charneca.
— Existe alguma outra abertura?
— Nenhuma.
— Então, para se chegar à Aleia de Teixos, é preciso descer a partir da casa ou entrar pelo portão da charneca?
— Tem uma saída através de um chalé na outra extremidade.
— Sir Charles chegou até lá?
— Não, ele estava a uns cinquenta metros.
— Agora, diga-me, Dr. Mortimer, e isso é importante, as marcas que você viu estavam no caminho e não na grama?
— Não tinha nenhuma marca na grama.
— Elas estavam do mesmo lado do caminho em que fica o portão da charneca?
— Sim, elas estavam na beira do caminho, do mesmo lado do portão da charneca.
— O senhor está me deixando muito interessado. Outro ponto. A cancela estava fechada?
— Fechada e trancada com cadeado.
— Qual é a altura dela?
— Cerca de um metro e vinte.
— Então qualquer pessoa seria capaz de passar por cima dela?
— Seria.
— E que marcas você viu perto da cancela?
— Nenhuma em particular.
— Meu Deus! Ninguém a examinou?
— Sim, eu mesmo examinei.
— E não encontrou nada?

— Estava tudo muito confuso. Sir Charles ficou evidentemente ali por cinco ou dez minutos.
— Como você sabe disso?
— Porque as cinzas de seu charuto tinham caído duas vezes.
— Excelente! Este é um colega, Watson, como nós poderíamos desejar. Mas e as marcas?
— Ele tinha deixado suas próprias marcas por todo aquele pequeno trecho de cascalho. Eu não pude ver nenhuma outra.
Sherlock Holmes bateu a mão no joelho com um gesto impaciente.
— Se ao menos eu tivesse estado lá! — exclamou. — É evidentemente um caso de extraordinário interesse, e que apresenta imensas oportunidades para um perito científico. Aquela página de cascalho em que eu poderia ter lido tanta coisa agora está borrada pela chuva e desfigurada pelos tamancos de camponeses curioso. Oh, Dr. Mortimer, Dr. Mortimer, pensar que o senhor não me chamou! Você realmente tem que prestar contas por muita coisa.
— Eu não poderia lhe chamar, Sr. Holmes, sem divulgar esses fatos para o mundo, e eu já dei meus motivos para não desejar fazê-lo. Além disso, além disso...
— Por que você hesita?
— Há um campo no qual até mesmo o mais arguto e experiente dos detetives se torna impotente.
— Está insinuando que a coisa é sobrenatural?
— Eu não disse isso.
— Não, mas evidentemente é o que você pensa.
— Desde a tragédia, Sr. Holmes, chegaram aos meus ouvidos vários incidentes difíceis de conciliar com a ordem estabelecida da natureza.
— Por exemplo?
— Fiquei sabendo que, antes do terrível acontecimento, várias pessoas tinham visto uma criatura na charneca que corresponde a esse demônio de Baskerville, e que não poderia ser um animal conhecido pela ciência. Todos concordaram que era uma enorme criatura, luminosa, medonha e espectral. Eu interroguei esses homens, um deles um camponês perspicaz, os outros dois, um ferreiro e um fazendeiro da charneca, todos contando a mesma história dessa terrível aparição,

correspondendo exatamente à criatura infernal da lenda. Eu lhe asseguro que o terror reina no distrito e que apenas um homem intrépido seria capaz de atravessar a charneca à noite.

— E o senhor, um cientista experiente, acredita que isso seja sobrenatural?

— Não sei em que acreditar.

Holmes encolheu os ombros.

— Até agora confinei minhas investigações a este mundo — disse ele. — De maneira modesta, combati o mal, mas enfrentar o próprio Pai do Mal seria, talvez, uma tarefa demasiadamente ambiciosa. No entanto, o senhor deve admitir que a pegada possa ser material.

— O cão original era material o suficiente para arrancar a garganta de um homem, e ainda assim também era diabólico.

— Percebo que o senhor passou para o lado dos sobrenaturalistas. Mas agora, Dr. Mortimer, diga-me. Se tem essas opiniões, por que veio me consultar? Ao mesmo tempo que o senhor me diz que é inútil investigar a morte de Sir Charles, também pede para que eu o faça.

— Eu não disse que queria que você fizesse isso.

— Então, como posso ajudá-lo?

— Aconselhando-me sobre o que devo fazer com Sir Henry Baskerville, que chega na Waterloo Station — o Dr. Mortimer olhou para o relógio — exatamente dentro de uma hora e um quarto.

— Ele é o herdeiro?

— É. Com a morte de Sir Charles, procuramos por esse jovem cavalheiro e descobrimos que ele era fazendeiro no Canadá. Pelas notícias que chegaram, é um excelente sujeito em todos os aspectos. Não falo como médico, mas como curador e executor da vontade de Sir Charles.

— Não há outro pretendente, presumo?

— O único outro parente que conseguimos rastrear foi Rodger Baskerville, o mais novo dos três irmãos dos quais o pobre Sir Charles era o mais velho. O segundo irmão, que morreu jovem, é o pai desse menino, Henry. O terceiro, Rodger, era a ovelha negra da família. Ele pertencia à velha linhagem arrogante dos Baskerville, e era a própria imagem, conforme fiquei sabendo, do velho Hugo. Ele tornou sua vida na Inglaterra impossível, fugiu para a América Central e morreu em

1876, de febre amarela. Henry é o último dos Baskerville. Em uma hora e cinco minutos vou encontrá-lo na Waterloo Station. Recebi um telegrama avisando que ele chegou a Southampton esta manhã. Agora, Sr. Holmes, o que você me aconselha a fazer com ele?

— Por que ele não deveria ir para a casa de seus ancestrais?

— Parece natural, não é? E ainda assim, considere que todo Baskerville que vai lá encontra um destino maligno. Tenho certeza de que se Sir Charles pudesse ter falado comigo antes de sua morte, ele teria me avisado para não levar esse jovem, o último da velha raça, e herdeiro de grande riqueza, para aquele lugar mortal. E, no entanto, não se pode negar que a prosperidade de toda aquela pobre e árida região depende de sua presença. Todo o bom trabalho que foi feito por Sir Charles cairá por terra se não houver nenhum inquilino no Solar. Temo ser muito influenciado pelo meu óbvio interesse pessoal no assunto, e é por isso que trago o caso para você e peço seu conselho.

Holmes passou alguns instantes refletindo sobre aquilo.

— Em poucas palavras, a questão é que — disse ele —, em sua opinião, existe uma força diabólica que faz de Dartmoor uma residência insegura para um Baskerville. É essa a sua opinião?

— Pelo menos, arrisco dizer que há alguma evidência de que isso possa ser verdade.

— Exatamente. Mas certamente, se a sua teoria sobrenatural estiver correta, isso pode fazer mal ao jovem tanto em Londres quanto em Devonshire. Um demônio com poderes meramente locais, como um conselho paroquial, seria algo inconcebível.

— Você coloca o assunto de uma maneira leviana, Sr. Holmes, do que provavelmente faria se tivesse contato direto com essas coisas. Seu conselho, então, pelo que entendi, é que o jovem estará tão seguro em Devonshire quanto em Londres. Ele chega em cinquenta minutos. O que o senhor recomenda?

— Eu recomendo, senhor, que pegue um carruagem, chame seu spaniel que está arranhando a minha porta da frente e vá até Waterloo para encontrar Sir Henry Baskerville.

— E depois?

— Depois o senhor não vai dizer nada a ele até que eu tenha tomado uma decisão a respeito do assunto.
— Quanto tempo você vai levar para tomar uma decisão?
— Vinte e quatro horas. Amanhã às dez horas, Dr. Mortimer, serei muito grato a você se vier até aqui, e será de grande ajuda para mim e meus planos para o futuro se você trouxer Sir Henry Baskerville junto.
— Farei isso, Sr. Holmes.

Ele rabiscou a hora marcada no punho de sua camisa e correu à sua maneira estranha, perscrutadora e distraída. Holmes o deteve no alto da escada.

— Só mais uma pergunta, Dr. Mortimer. Você disse que antes da morte de Sir Charles Baskerville várias pessoas viram essa aparição na charneca?
— Três pessoas a viram.
— Alguém a viu depois?
— Não ouvi ninguém falando sobre tê-la visto.
— Obrigado. Bom dia.

Holmes voltou ao seu assento com aquele ar calmo de satisfação interior, o que significava que tinha uma tarefa agradável diante dele.

— Vai sair, Watson?
— A menos que eu possa ajudá-lo.
— Não, meu caro amigo, é na hora da ação que eu recorro a você por ajuda. Mas isso é esplêndido, realmente único de alguns pontos de vista. Quando você passar por Bradley, poderia pedir a ele para que mande uma libra do fumo mais forte? Obrigado. Seria muito bom também, se não lhe for inconveniente, que voltasse antes da noite. Então ficarei muito feliz em comparar as impressões quanto ao problema interessantíssimo que nos foi submetido hoje de manhã.

Eu sabia que a reclusão e a solidão eram extremamente necessárias para o meu amigo naquelas horas de intensa concentração mental, durante as quais ele pesava cada partícula de evidência, concebia teorias alternativas, comparava uma com a outra e decidia quais pontos eram essenciais e quais eram irrelevantes. Portanto, passei o dia no clube e não retornei a Baker Street até o anoitecer. Eram quase nove horas quando me encontrei na sala de estar mais uma vez.

Minha primeira impressão quando abri a porta foi que havia um incêndio, pois a sala estava tão cheia de fumaça que mal se podia distinguir a luz da lâmpada sobre a mesa. Ao entrar, porém, meus medos se aquietaram, pois foram os vapores acres de tabaco forte que me atacaram a garganta e me fizeram tossir. Através da névoa, tive um vislumbre de Holmes em seu roupão, aninhado em uma poltrona com o cachimbo preto de barro entre os lábios. Vários rolos de papel estavam espalhados ao seu redor.

— Apanhou um resfriado, Watson? — perguntou ele.

— Não, é essa atmosfera venenosa.

— Eu suponho que está mesmo bastante carregada, agora que você mencionou.

— Carregada? Está intolerável.

— Abra a janela, então! Você esteve no seu clube o dia todo, percebo.

— Meu caro Holmes!

— Estou certo?

— Certamente, mas como?

Ele riu da minha expressão perplexa.

— Há um frescor delicioso em você, Watson, o que faz com que seja um prazer exercitar quaisquer poderes que possuo à sua custa. Um cavalheiro sai em um dia chuvoso e lamacento. Ele retorna imaculado à noite com o brilho ainda em seu chapéu e suas botas. Portanto, passou o dia todo no mesmo lugar. Ele não é um homem com amigos íntimos. A que lugar, então, ele poderia ter ido? Não é óbvio?

— Bem, é bastante óbvio.

— O mundo está cheio de coisas óbvias que ninguém jamais observa. Onde você acha que eu estive?

— Aqui mesmo.

— Pelo contrário, estive em Devonshire.

— Em espírito?

— Exatamente. Meu corpo permaneceu nesta poltrona e, lamento observar, consumiu na minha ausência dois grandes bules de café e uma incrível quantidade de tabaco. Depois que você partiu, mandei apanhar no Stamford's o mapa Ordnance dessa parte da charneca, e

O CÃO DOS BASKERVILLE   33

meu espírito pairou sobre ela o dia todo. Eu me orgulho de ter conseguido localizar o que eu queria.

— Um mapa em grande escala, eu presumo?

— Muito grande. — Ele desenrolou uma seção e segurou-a sobre o joelho. — Aqui você tem o distrito particular que interessa a nós. Isso aqui bem no meio é o Solar Baskerville.

— Com uma floresta ao redor?

— Exatamente. Imagino que a Aleia dos Teixos, embora não esteja marcada sob esse nome, deva estender-se ao longo desta linha, com a charneca, como você percebe, à direita dela. Este pequeno aglomerado de construções aqui é o povoado de Grimpen, onde fica o quartel-general de nosso amigo Dr. Mortimer. Em um raio de oito quilômetros, como vê, há apenas algumas poucas habitações dispersas. Aqui está o Solar Lafter, que foi mencionado na narrativa. Tem uma casa marcada aqui que pode ser a residência do naturalista... Stapleton, se bem me lembro, é o nome dele. Aqui estão duas casas de fazenda na charneca, High Tor e Foulmire. Depois, a quase vinte e três quilômetros de distância, a grande prisão de Princetown. Entre e ao redor desses pontos dispersos estende-se a charneca desolada e sem vida. Este, então, é o palco em que a tragédia foi encenada, e sobre o qual podemos ajudar a reencená-la.

— Deve ser um lugar selvagem.

— Sim, o cenário é apropriado. Se o demônio desejasse interferir nos assuntos dos homens...

— Então você está se inclinando para a explicação sobrenatural.

— Os agentes do demônio podem ser de carne e osso, não podem? Há duas perguntas à nossa espera. A primeira é se algum crime foi cometido; a segunda é: qual foi o crime e como foi cometido? É claro que, se a suposição do Dr. Mortimer estiver correta, e estivermos lidando com forças que escapam das leis comuns da natureza, nossa investigação está encerrada. Mas somos obrigados a esgotar todas as outras hipóteses antes de voltarmos a essa. Acho que vamos fechar a janela novamente, se você não se importar. É uma coisa singular, mas acho que uma atmosfera densa ajuda a concentrar o pensamento. Eu ainda não cheguei ao ponto de me enfiar em uma caixa para pensar, mas esse é o resultado lógico de minhas convicções. Refletiu sobre o caso?

— Sim, pensei muito nele no decorrer do dia.

— E o que acha dele?

— É muito desconcertante.

— Certamente tem um caráter bem peculiar. Apresenta pontos singulares. Essa mudança nas pegadas, por exemplo. O que você acha sobre isso?

— Mortimer disse que o homem andou na ponta dos pés naquela parte da aleia.

— Ele apenas repetiu o que algum idiota disse no inquérito. Por que um homem andaria na ponta dos pés pela aleia?

— O que foi então?

— Ele estava correndo, Watson; correndo desesperadamente, correndo para salvar sua vida, correndo até que seu coração estourou e ele caiu de bruços, morto.

— Correndo do quê?

— Aí reside nosso problema. Há indícios de que o homem estava enlouquecido de medo antes mesmo de começar a correr.

— Como você pode dizer isso?

— Estou presumindo que a causa de seus medos chegou a ele do outro lado da charneca. Se foi isso mesmo, e parece ser o mais provável, só um homem que perdeu o juízo teria corrido da casa em vez de ir em direção a ela. Se o depoimento do cigano pode ser considerado verdadeiro, ele correu gritando por socorro na direção em que a ajuda era menos provável. Então, novamente, a quem ele estava esperando naquela noite, e por que ele estava esperando por essa pessoa na Aleia dos Teixos e não em sua própria casa?

— Você acha que ele estava esperando por alguém?

— O homem era idoso e enfermo. Podemos compreender seu passeio noturno, mas o chão estava úmido e a noite, inclemente. É natural que ele tenha ficado por cinco ou dez minutos parado, como o Dr. Mortimer, com mais senso prático do que eu lhe teria atribuído, deduziu por causa das cinzas de charuto?

— Mas ele saía todas as noites.

— Acho improvável que ele esperasse no portão da charneca todas as noites. Pelo contrário, a evidência é que ele evitava a charneca. Naquela noite, ele esperou lá. Era a véspera de sua partida para Londres. A coisa toma forma, Watson. Torna-se coerente. Posso pedir-lhe que me entregue o meu violino e vamos adiar todas as outras reflexões sobre esse assunto até o nosso encontro com o Dr. Mortimer e Sir Henry Baskerville amanhã de manhã.

CAPÍTULO IV
Sir Henry Baskerville

Nossa mesa de desjejum foi tirada cedo, e Holmes, vestido com seu roupão, aguardava a entrevista prometida. Nossos clientes chegaram na hora marcada, pois o relógio tinha acabado de marcar dez horas quando o Dr. Mortimer apareceu, seguido pelo jovem baronete. Este último era um homem pequeno, alerta, de olhos escuros, com cerca de trinta anos de idade, robusto, com sobrancelhas grossas e negras e um rosto forte e belicoso. Usava um terno de *tweed* de cor avermelhada e tinha uma aparência desgastada de alguém que passou a maior parte da vida ao ar livre; ainda assim, tinha algo em seu olhar firme e na segurança silenciosa de seu porte que indicava que era um cavalheiro.

— Este é Sir Henry Baskerville — disse o Dr. Mortimer.

— Sim — disse ele —, e o estranho é, Sr. Sherlock Holmes, que se meu amigo aqui não tivesse proposto virmos vê-lo esta manhã, eu viria por conta própria. Entendo que o senhor desvenda pequenos enigmas, e deparei-me com um hoje de manhã que requer mais reflexão do que posso dedicar.

— Por favor, sente-se, Sir Henry. Está me dizendo que teve uma experiência notável depois que chegou a Londres?

— Nada de muita importância, Sr. Holmes. Apenas uma piada, muito provavelmente. Foi esta carta, se você pode chamá-la de carta, que chegou até mim esta manhã.

Ele colocou um envelope sobre a mesa, e nos inclinamos sobre ela. Era de qualidade comum, pardo. O endereço, "Sir Henry Baskerville, Northumberland Hotel", tinha sido escrito em caracteres grosseiros; o carimbo era "Charing Cross" e a data da postagem, a noite anterior.

— Quem sabia que o senhor estava indo para o Northumberland Hotel? — perguntou Holmes olhando atentamente para o nosso visitante.

— Ninguém poderia ter sabido. Nós só decidimos depois que me encontrei com o Dr. Mortimer.

— Mas o Dr. Mortimer sem dúvida já estava hospedado lá?

— Não, eu estava com um amigo — respondeu o médico. — Não havia nenhuma indicação de que pretendíamos ficar nesse hotel.

— Hum! Alguém parece estar profundamente interessado em seus movimentos. — Tirou do envelope meia folha de papel ofício dobrado em quatro. Abriu-a e a estendeu sobre a mesa. No meio dela, uma única frase tinha sido formada com letras impressas recortadas e coladas no papel. Estava escrito:

SE DER VALOR À SUA VIDA OU À SUA RAZÃO, DEVE SE MANTER LONGE DA CHARNECA.

A palavra "charneca" era a única escrita em tinta.

— Agora — disse Sir Henry Baskerville —, talvez você possa me dizer, Sr. Holmes, o que diabo significa isso, e quem é que tem tanto interesse em meus assuntos?

— O que você acha disso, Dr. Mortimer? Você deve admitir que, pelo menos nisso, não existe nada de sobrenatural, não é?

— Não, senhor, mas pode muito bem ter vindo de alguém que estivesse convencido de que o caso é sobrenatural.

— Que caso? — perguntou Sir Henry bruscamente. — Parece-me que todos os senhores sabem muito mais do que eu sobre meus assuntos.

— O senhor ficará a par de tudo antes de sair desta sala, Sir Henry. Eu lhe prometo — disse Sherlock Holmes. — Por ora, vamos nos ater, com a sua permissão, a este documento muito interessante, que deve ter sido preparado ontem à noite. Você tem o *Times* de ontem, Watson?

— Está aqui no canto.

— Posso lhe incomodar e pedir... a página interna, por favor, com o editorial? — Ele a relanceou rapidamente, passando os olhos para cima e para baixo nas colunas. — Excelente artigo sobre comércio livre. Permitam-me ler para vocês um trecho.

Talvez haja alguma razão para que sejam induzidos a pensar que seu comércio especial, ou sua própria indústria, será estimulado por uma tarifa protecionista, mas é lógico que tal legislação, a longo prazo, poderá manter longe da nação a riqueza, diminuir o valor de nossas importações e rebaixar as condições gerais de vida nesta ilha.

— O que você acha disso, Watson? — exclamou Holmes em grande alegria, esfregando as mãos com satisfação. — Não lhes parece um sentimento admirável?

O Dr. Mortimer olhou para Holmes com ar de interesse profissional, e Sir Henry Baskerville me encarou com olhos escuros confusos.

— Eu não sei muito sobre tarifas e coisas desse tipo — disse ele —, mas parece-me que nos afastamos um pouco de nosso propósito no que diz respeito a essa nota.

— Pelo contrário, acho que estamos particularmente em uma pista bem quente, Sir Henry. Watson aqui sabe mais sobre meus métodos do que você, mas temo que nem ele tenha compreendido o significado dessa frase.

— Não, confesso que não vejo conexão.

— E, no entanto, meu caro Watson, existe uma conexão tão próxima que uma coisa foi extraída da outra. "Seu", "sua", "vida", "razão", "valor", "manter", "longe", "da". Não notaram de onde essas palavras foram tiradas?

— Por Deus, você está certo! Bem, mas que esperteza! — exclamou Sir Henry.

— Se ainda restasse qualquer dúvida, ela seria resolvida pelo fato de que "manter longe da" estão cortadas em um único pedaço.

— Mas é isso mesmo!

— Realmente, Sr. Holmes, isso excede tudo o que eu poderia ter imaginado — disse o Dr. Mortimer, olhando para o meu amigo com espanto. — Eu posso entender alguém dizendo que as palavras são de um jornal, mas saber de qual jornal e acrescentar que veio do editorial, é realmente uma das coisas mais notáveis que já presenciei. Como você fez isso?

— Eu presumo, doutor, que você pode dizer se um crânio pertence a um negro ou a um esquimó?

— Com certeza.

— Mas como consegue?

— Porque esse é meu hobby especial. As diferenças são óbvias. A crista supraorbital, o ângulo facial, a curva maxilar, o...

— E esse é meu hobby especial, e as diferenças são igualmente óbvias. Para mim, há tanta diferença entre o tipo *bourgeois* interlinear de um artigo do *Times* e a impressão desleixada de um jornal vespertino de meio centavo quanto pode haver entre seu negro e seu esquimó. A detecção de tipos é um dos ramos mais elementares do conhecimento para o especialista em crimes, embora confesse que, uma vez, quando eu era muito jovem, confundi o *Leeds Mercury* com o *Western Morning News*. Mas um editorial do *Times* é totalmente distinto, e essas palavras só podiam ter sido tiradas dele. Como foi feito ontem, a forte probabilidade era que nós encontrássemos as palavras na edição de ontem.

— Até onde entendi, então, Sr. Holmes — disse Sir Henry Baskerville —, alguém cortou esta mensagem com uma tesoura...

— Tesoura de unha — disse Holmes. — Você pode ver que era uma tesoura de lâmina muito curta, já que foi preciso duas tentativas para cortar "manter longe da".

— Exatamente. Alguém, então, recortou a mensagem com uma tesoura de lâmina curta, colou-a com pasta...

— Cola — disse Holmes.

— Com cola no papel. Mas eu quero saber por que a palavra "charneca" teria sido escrita?

— Porque ele não conseguiu encontrar essa palavra impressa. As outras palavras eram comuns e podiam ser encontradas em qualquer assunto, mas "charneca" não é muito usual.

— Claro, é uma ótima explicação. Você percebeu mais alguma coisa nesta mensagem, Sr. Holmes?

— Há uma ou duas indicações, embora tenham tomado todo o cuidado para remover todas as pistas. O endereço, como vocês podem ver, está escrito em letras de uma forma grosseira. Mas o *Times* é um jornal que quase sempre é encontrado em mãos de pessoas com instrução superior. Podemos considerar, portanto, que a carta foi composta por um homem instruído que desejava se passar por um ignorante, e seu esforço para ocultar sua própria escrita sugere que ela pode ser conhecida ou vir a ser reconhecida por você. Novamente, você pode observar que as palavras não estão coladas em uma linha precisa, mas que algumas estão mais altas do que as outras. "Vida", por exemplo, está completamente fora de seu devido lugar. Isso pode indicar descuido ou pode indicar agitação e pressa por parte do remetente. No geral, eu me inclino para esta segunda hipótese, já que a questão era evidentemente importante, e é improvável que o autor de tal carta fosse descuidado. Se ele estivesse com pressa, isso abriria a interessante questão de por que estaria apressado, já que qualquer carta postada até o início da manhã chegaria até Sir Henry antes que ele deixasse seu hotel. O autor temia ser interrompido? E por quem?

— Estamos entrando agora no campo da adivinhação — disse o Dr. Mortimer.

— Digamos, sim, no campo em que equilibramos as probabilidades e escolhemos as mais prováveis. É o uso científico da imaginação, mas sempre temos alguma base material sobre a qual começar nossa especulação. Agora, você diria que é um palpite, sem dúvida, mas tenho quase certeza de que esse endereço foi escrito em um hotel.

— Como você pode dizer isso?

— Se você examinar cuidadosamente verá que tanto a caneta quanto a tinta causaram problemas ao escritor. A caneta respingou duas vezes em uma única palavra e secou três vezes em um endereço curto, mostrando que havia pouca tinta no tinteiro. Ora, raramente se permitiria que uma caneta ou um tinteiro privado ficassem em tal estado, e a combinação dos dois deve ser bastante rara. Mas vocês conhecem as tintas e as canetas dos hotéis, onde é raro conseguir qualquer outra coisa melhor. Sim, tenho muito pouca hesitação em dizer que poderíamos examinar os cestos de lixo dos hotéis em torno de Charing Cross até encontrarmos os restos do editorial do *Times* mutilado e poderíamos colocar as mãos diretamente na pessoa que enviou essa mensagem singular. Opa! O que é isso?

Ele estava examinando cuidadosamente o papel ofício, sobre o qual as palavras foram coladas, segurando-o a apenas uns cinco centímetros do rosto.

— Então?

— Nada — respondeu ele, colocando-o na mesa. — É uma meia folha de papel em branco, sem sequer uma marca d'água sobre ela. Acho que tiramos o máximo que podemos dessa curiosa carta. E agora, Sir Henry, mais alguma coisa de interesse aconteceu a você desde que chegou a Londres?

— Não, Sr. Holmes. Eu acho que não.

— Você não observou ninguém o seguindo ou vigiando?

— Parece que entrei direto no meio de um romance barato — disse o nosso visitante. — Por que alguém deveria me seguir ou me vigiar?

— Estamos chegando a isso. Você não tem mais nada para nos informar antes de entrarmos nesse assunto?

— Bem, depende do que você acha que vale a pena ser informado.

— Acho que qualquer coisa fora da rotina comum da vida vale a pena ser informada.

Sir Henry sorriu.

— Ainda não conheço muito a vida britânica, pois passei quase a vida toda nos Estados Unidos e no Canadá. Mas torço para que perder uma das suas botas não faça parte da rotina da vida aqui.

— Você perdeu uma de suas botas?

— Meu caro senhor! — exclamou o Dr. Mortimer. — Foi apenas extraviada. E vai encontrá-la quando voltar para o hotel. De que adianta preocupar o Sr. Holmes com ninharias desse tipo?

— Bem, ele me pediu para relatar qualquer coisa fora da rotina comum.

— Exatamente — concordou Holmes —, por mais tolo que o incidente possa parecer. Então você perdeu uma das suas botas?

— Bem, ou ela se extraviou. Coloquei o par do lado de fora da minha porta ontem à noite e só havia um pé pela manhã. O rapaz que as limpa não conseguiu dizer nada sobre o sumiço. O pior de tudo é que só comprei o par ontem à noite no Strand e nunca as usei.

— Se você nunca as usou, por que as colocou para serem limpas?

— Eram botas de couro curtido e nunca tinham sido lustradas. Foi por isso que as coloquei do lado de fora da porta.

— Então, pelo que entendi, ontem, ao chegar a Londres, você saiu e comprou um par de botas?

— Eu fiz muitas compras. O Dr. Mortimer foi comigo. Você vê, se vou ser um fidalgo rural, devo me vestir de acordo, e pode ser que eu tenha me descuidado um pouco com os meus hábitos do Oeste. Entre outras coisas, comprei essas botas marrons, paguei seis dólares por elas, e tive um pé roubado antes de poder calçá-las.

— Parece uma coisa singularmente inútil para roubar — disse Sherlock Holmes. — Confesso que compartilho da crença do Dr. Mortimer de que não demorará muito para que a bota perdida seja encontrada.

— E agora, senhores — disse o baronete, decidido —, parece-me que falei o suficiente sobre o pouco que sei. É hora de vocês cumprirem sua promessa e me darem um relato completo daquilo a que todos estamos aludindo.

— Seu pedido é bastante razoável — respondeu Holmes. — Dr. Mortimer, acho que seria melhor contar sua história conforme nos contou.

Assim encorajado, nosso amigo científico tirou os papéis do bolso e apresentou o caso todo como fizera na manhã anterior. Sir Henry Baskerville ouviu com a máxima atenção e ocasionais exclamações de surpresa.

— Bem, parece-me que recebi uma herança bastante perigosa — disse ele assim que a longa narrativa terminou. — Claro que ouço falar do cão desde que eu estava no berço. É a história preferida da família, embora eu nunca tenha levado isso a sério. Mas quanto à morte do meu tio... bem, tudo parece estar fervilhando em minha mente, e não consigo ver nada com clareza. Você não parece ter decidido se é um caso para um policial ou para um clérigo.

— Precisamente.

— E agora tem essa questão da carta para mim no hotel. Eu suponho que se encaixa no quadro.

— Parece indicar que alguém sabe mais do que sabemos sobre o que aconteceu na charneca — disse o Dr. Mortimer.

— E também — disse Holmes —, que esse alguém não está mal--intencionado em relação ao senhor, pois o informa sobre o perigo.

— Ou pode ser que eles desejem, para seus próprios motivos, assustar-me.
— Bem, claro, isso é possível também. Estou muito grato a você, Dr. Mortimer, por me apresentar um problema que tem tantas alternativas interessantes. Mas o ponto prático que agora temos que decidir, Sir Henry, é se é ou não aconselhável que você vá para o Solar Baskerville.
— Por que eu não deveria ir?
— Parece haver perigo.
— Você quer dizer perigo referente a esse demônio da família ou perigo causado por seres humanos?
— Bem, é isso que temos que descobrir.
— De toda forma, minha resposta é uma só. Não tem nenhum demônio no inferno, Sr. Holmes, e não há homem na terra que possa me impedir de ir para a casa da minha própria família, e você pode tomar isso como minha resposta final. — Suas sobrancelhas escuras se franziram e seu rosto corou enquanto ele falava. Era evidente que o temperamento intenso dos Baskerville não estava extinto no seu último representante. — Enquanto isso — continuou —, mal tive tempo de pensar sobre tudo o que você me contou. É muita coisa para um homem entender e decidir de uma só vez. Eu gostaria de ter uma hora tranquila, sozinho, para me decidir. Agora, olhe aqui, Sr. Holmes, já são onze e meia e estou voltando imediatamente para o meu hotel. Que tal se você e seu amigo, o Dr. Watson, fossem almoçar conosco às duas? Vou poder lhes dizer exatamente o que penso sobre tudo isso.
— Isso é conveniente para você, Watson?
— Perfeitamente.
— Então você pode nos esperar. Devo mandar chamar uma carruagem?
— Eu prefiro caminhar, porque esse caso me deixou muito transtornado.
— Eu o acompanho em uma caminhada, com prazer — disse seu companheiro.
— Então nos encontramos novamente às duas horas. *Au revoir* e bom dia!
Ouvimos os passos de nossos visitantes descendo a escada e a porta da frente se fechando.

Rapidamente, Holmes mudou do sonhador lânguido para o homem de ação.

— Seu chapéu e botas, Watson, rápido! Não temos nem um momento a perder! — Ele entrou correndo em seu quarto, ainda trajando seu roupão, e voltou em alguns segundos com uma sobrecasaca. Corremos juntos pelas escadas e fomos para a rua. O Dr. Mortimer e Baskerville ainda estavam visíveis, a cerca de duzentos metros à nossa frente, na direção da Oxford Street.

— Devo correr e pará-los?

— De forma alguma, meu caro Watson. Estou perfeitamente satisfeito com a sua companhia, se você tolerar a minha. Nossos amigos são sábios, pois é certamente uma ótima manhã para uma caminhada.

Ele acelerou o passo até que diminuímos pela metade a distância que nos separava. Então, ainda nos mantendo cem metros atrás, seguimos para Oxford Street e descemos a Regent Street. Uma vez nossos amigos pararam e olharam para uma vitrine, e Holmes fez o mesmo. Um instante depois, ele soltou um pequeno grito de satisfação e, seguindo a direção de seus olhos ansiosos, vi que uma carruagem de aluguel, com um homem dentro, parara do outro lado da rua e agora voltava a avançar lentamente.

— Lá está o nosso homem, Watson! Venha comigo! Vamos dar uma boa olhada nele, se não pudermos fazer mais nada além disso.

Naquele instante, avistei uma espessa barba negra e um par de olhos penetrantes virado para nós pela janela lateral da carruagem. Instantaneamente a portinhola no topo se abriu, algo foi gritado para o cocheiro, e a carruagem pôs-se a disparar loucamente pela Regent Street. Holmes olhou ansiosamente procurando por outra, mas nenhuma vazia estava à vista. Então, ele se atirou em uma perseguição selvagem em meio ao fluxo do tráfego, mas a dianteira era muito grande, e a carruagem já estava fora de vista.

— Pronto! — disse Holmes amargamente quando emergiu ofegante e branco com o vexame por causa da maré de veículos. — Já viu maior azar e incompetência? Watson, Watson, se você é um homem honesto, vai registrar isso também e confrontá-lo com os meus sucessos!

— Quem era o homem?

— Eu não tenho ideia.

— Um espião?

— Bem, ficou evidente, pelo que ouvimos, que Baskerville tem sido seguido de perto por alguém desde que chegou à cidade. De que outro modo se teria podido saber tão rapidamente que ele escolhera se hospedar no Northumberland Hotel? Se eles o tivessem seguido no primeiro dia, acredito que também o seguiriam no segundo. Você deve ter observado que caminhei duas vezes até a janela enquanto o Dr. Mortimer lia sobre a sua lenda.

— Sim, eu me lembro.

— Eu estava procurando vagabundos na rua, mas não vi nenhum. Estamos lidando com um homem esperto, Watson. Esse caso é muito intrincado, e embora eu não tenha ainda me decidido se é uma força benévola ou malévola que está em contato conosco, estou sempre consciente do poder e da maquinação. Quando nossos amigos partiram, segui-os imediatamente na esperança de distinguir seu acompanhante invisível. Ele é tão esperto que não se atreveu a segui-los a pé, mas usou uma carruagem e aluguel para poder andar vagarosamente atrás deles ou ultrapassá-los correndo para evitar que o percebessem. Seu método tinha a vantagem adicional de que, se pegassem uma carruagem, ele estava pronto para segui-los. Tinha, no entanto, uma desvantagem óbvia.

— Isso o coloca nas mãos do cocheiro.

— Exatamente.

— Que pena que não anotamos o número!

— Meu caro Watson, por mais desastrado que eu tenha sido, você certamente não acha que deixei de anotar o número? Número 2704 é o nosso homem. Mas isso não nos serve de nada nesse momento.

— Eu não consigo ver o que mais você poderia ter feito.

— Ao observar a carruagem, eu deveria ter instantaneamente me virado e andado na outra direção. Assim, poderia ter contratado uma segunda carruagem e seguido a primeira a uma distância respeitosa, ou, melhor ainda, ter ido ao Northumberland Hotel e ficar lá esperando. Quando nosso desconhecido seguiu Baskerville para casa, deveríamos ter tido a oportunidade de jogar seu jogo contra ele mesmo, e ver para onde iria. Na verdade, por uma ansiedade indiscreta, de que nosso adversário tirou proveito com extraordinária rapidez e energia, nós nos traímos e perdemos o nosso homem.

Havíamos andado devagar pela Regent Street durante essa conversa, e o Dr. Mortimer, com seu companheiro, desaparecera havia muito à nossa frente.

— Não há nenhum objetivo em segui-los — disse Holmes. — A sombra partiu e não vai retornar. Temos que ver de quais cartas dispomos e jogá-las com precisão. Você poderia jurar ter visto o rosto daquele homem dentro da carruagem?

— Posso jurar apenas que vi a barba.

— E eu também poderia, e concluo que, com toda a probabilidade, era falsa. Um homem inteligente em uma tarefa tão delicada não tem utilidade para uma barba, exceto para ocultar suas feições. Venha aqui, Watson!

Ele entrou em uma das agências distritais de mensageiros, onde foi calorosamente recebido pelo gerente.

— Ah, Wilson, vejo que você não esqueceu o pequeno caso em que tive a sorte de ajudá-lo?

— Não, senhor, realmente não me esqueci. Você salvou minha reputação e talvez a minha vida.

— Meu caro amigo, você exagera. Recordo-me, Wilson, de que você tinha entre seus rapazes um chamado Cartwright, que mostrou certa habilidade durante a investigação.

— Sim, senhor, ele ainda está conosco.

— Você poderia chamá-lo? Obrigado! E gostaria de trocar essa nota de cinco libras.

Um rapaz de quatorze anos, com um rosto brilhante e aguçado, obedecera à convocação do gerente. Ficou parado olhando com grande reverência para o famoso detetive.

— Dê-me o Catálogo de Hotéis — pediu Holmes. — Obrigado! Agora, Cartwright, aqui tem os nomes de vinte e três hotéis, todos na vizinhança de Charing Cross. Você vê?

— Sim, senhor.

— Você vai visitar cada um deles.
— Sim, senhor.
— Você começará dando um xelim ao porteiro externo de cada hotel. Aqui estão vinte e três xelins.
— Sim, senhor.
— Você vai dizer a ele que quer ver a lata de lixo de ontem. Dirá que um importante telegrama se extraviou e que está procurando por ele. Você me entendeu?
— Sim, senhor.
— Mas o que você está realmente procurando é a página central do *Times* com alguns buracos cortados com uma tesoura. Aqui está um exemplar do *Times*. Esta é a página. Conseguirá reconhecê-la facilmente, não é?
— Sim, senhor.
— Em cada caso, o porteiro externo o enviará para o porteiro do saguão, para quem você também dará um xelim. Aqui estão mais vinte e três xelins. Em seguida, você será informado em possivelmente vinte dos vinte e três hotéis que o lixo do dia anterior foi queimado ou retirado. Nos outros três, vão lhe mostrar um monte de papel e você vai procurar por esta página do *Times*. É extremamente improvável que a encontre. Pegue mais dez xelins para alguma emergência. Mande-me um relatório por telegrama para Baker Street antes do anoitecer. E agora, Watson, só nos resta descobrir a identidade do cocheiro, nº 2704. Depois iremos a uma das galerias de fotos da Bond Street e passaremos o tempo até que chegue a hora de irmos para o hotel.

CAPÍTULO V
Três fios partidos

Sherlock Holmes tinha, em um grau muito notável, o poder de desligar sua mente sempre que queria. Durante duas horas, o estranho negócio em que estivemos envolvidos pareceu esquecido, e ele ficou inteiramente absorto nas fotos dos modernos mestres belgas. Não falou de nada além de arte, sobre a qual ele tinha as mais toscas ideias, até deixarmos a galeria e chegarmos ao Northumberland Hotel.

— Sir Henry Baskerville está lá em cima esperando por vocês — informou o recepcionista. —Pediu-me que os levasse até lá assim que chegassem.

— Você tem alguma objeção a que eu olhe o seu registro? — perguntou Holmes.

— De maneira alguma.

O livro mostrava que dois nomes tinham sido adicionados depois da chegada de Baskerville. Um era Theophilus Johnson e sua família, de Newcastle; o outro era a Sra. Oldmore e sua criada, de High Lodge, Alton.

— Certamente deve ser o mesmo Johnson que eu conheço — disse Holmes ao recepcionista. — Um advogado, certo, de cabelos grisalhos, e anda mancando?

— Não, senhor, este é o Sr. Johnson, o proprietário de uma mina de carvão, um cavalheiro muito ativo, não mais velho do que o senhor.

— Você não está enganado quanto à ocupação dele?

— Não, senhor! Ele usa este hotel há muitos anos, e é muito conhecido por todos nós.

— Ah, isso resolve tudo. A Sra. Oldmore também. Lembro-me desse nome. Desculpe a minha curiosidade, mas muitas vezes ao visitar um amigo, encontramos outro.

— Ela é uma senhora inválida, senhor. Seu marido foi prefeito de Gloucester. Ela sempre se hospeda aqui quando está na cidade.

— Obrigado. Não posso dizer que a conheço. Acabamos de estabelecer um fato muito importante, Watson — continuou ele em voz baixa enquanto subíamos juntos. — Sabemos agora que as pessoas que estão tão interessadas em nosso amigo não se hospedaram aqui neste hotel. Isso significa que, apesar de, como vimos, estarem muito ansiosos para vê-lo, estão igualmente ansiosos para que ele não os veja. Agora, isso é um fato muito sugestivo.

— O que isso sugere?

— Isso sugere... Ora, meu caro amigo, que diabo é o problema?

Ao chegarmos ao topo da escada, encontramos o próprio Sir Henry Baskerville. Seu rosto estava vermelho de raiva e ele segurava uma bota velha e empoeirada em uma das mãos. O homem estava tão furioso que mal conseguia falar e, quando falava, era em um dialeto mais típico do Oeste que qualquer outra coisa que tivéssemos ouvido dele pela manhã.

— Tenho a sensação de que eles estão me fazendo de otário neste hotel — gritou ele. — Eles vão descobrir que estão brincando com o homem errado, a menos que sejam cuidadosos. Por Deus, se aquele sujeito não conseguir encontrar minha bota, vai ter confusão. Posso aceitar uma brincadeira tão bem quanto qualquer um, Sr. Holmes, mas desta vez eles foram longe demais.

— Ainda está procurando a sua bota?

— Sim, senhor, e quero encontrá-la.

— Mas, pelo que lembro, você disse que era uma bota nova e marrom?

— Isso mesmo, senhor. E agora é uma preta e velha.

— Você não está querendo dizer...?

— Isso é exatamente o que eu quero dizer. Eu só tinha três pares no mundo: a bota nova marrom, a preta velha e a de couro envernizado, que estou usando. Ontem à noite eles pegaram um pé da minha bota marrom, e hoje eles roubaram um pé da bota preta. Então, você a encontrou? Fale, homem, e não fique parado aí olhando!

Um agitado camareiro alemão apareceu em cena.

— Não, senhor. Fiz perguntas em todo o hotel, mas não consegui nenhuma informação.

— Bem, ou aquela bota volta antes do pôr do sol ou eu vou até o gerente e digo a ele que eu saio imediatamente deste hotel.

— Ela será encontrada, senhor, prometo-lhe que, se tiver paciência, será encontrada.

— Pois trate de encontrá-la, pois é a última coisa que vou perder neste covil de ladrões. Bem, bem, Sr. Holmes, desculpe-me por lhe incomodar com esse problema tão simples...

— Acho que vale a pena ser incomodado por isso.

— O senhor parece levar o caso muito a sério.

— Como você explica isso?

— Simplesmente não tento explicar. Parece a coisa mais louca e esquisita que já me aconteceu.

— Provavelmente a mais esquisita — disse Holmes, pensativo.

— E o que você deduz do incidente?

— Bem, de fato eu ainda não o compreendo. Este seu caso é muito complexo, Sir Henry. Quando tomado em conjunto com a morte do seu tio, não tenho a certeza de que, de todos os quinhentos casos de importância capital que tratei até hoje, haja um tão enigmático. Mas temos vários fios em nossas mãos, e as chances são de que um ou outro nos guie à verdade. Podemos desperdiçar tempo seguindo o caminho errado, mas mais cedo ou mais tarde devemos nos aproximar do certo.

Tivemos um almoço agradável em que pouco se falou do negócio que nos unia. Foi na sala de estar privada para qual nos retiramos que Holmes perguntou a Baskerville quais eram suas intenções.

— Ir para o Solar Baskerville.

— E quando?

— No fim da semana.

— No geral — disse Holmes —, acho que sua decisão é sensata. Tenho amplas evidências de que você está sendo perseguido em Londres e, em meio aos milhões de habitantes desta grande cidade, é difícil descobrir quem são essas pessoas e qual pode ser seu objetivo. Se tiverem más intenções, podem lhe causar mal, e seríamos impotentes para evitá-lo. Você sabia, Dr. Mortimer, que foram seguidos esta manhã quando saíram da minha casa?

O Dr. Mortimer teve um violento sobressalto.

— Seguidos! Por quem?

— Isso, infelizmente, eu não posso lhe dizer. Você tem entre seus vizinhos ou conhecidos em Dartmoor qualquer homem com uma barba preta e cheia?

— Não. Ou, deixe-me pensar... Sim. Barrymore, o mordomo de Sir Charles, é um homem com barba negra e cheia.

— Oh! Onde está Barrymore?

— Está cuidando do Solar.

— É melhor verificar se ele está realmente lá, ou se há alguma chance que ele possa estar em Londres.

— Como posso fazer isso?

— Dê-me um formulário para telegrama. "Está tudo pronto para Sir Henry?" Isso serve. Mande para o Sr. Barrymore, em Solar Baskerville. Qual é a agência telegráfica mais próxima? Grimpen. Muito bem, enviaremos um segundo telegrama para o agente de correio de Grimpen: "Telegrama para o Sr. Barrymore deverá ser entregue em mãos. Se ele estiver ausente, por favor, o devolva para Sir Henry Baskerville, no Northumberland Hotel." Isso deve nos informar antes da noite se Barrymore está em seu posto em Devonshire ou não.

— Isso mesmo — disse Baskerville. — A propósito, Dr. Mortimer, quem é esse Barrymore?

— Ele é o filho do antigo zelador, que morreu. Eles vêm cuidando do Solar há quatro gerações. Tanto quanto sei, ele e a esposa são um dos casais mais respeitáveis do condado.

— Ao mesmo tempo — disse Baskerville —, está claro o suficiente que, enquanto não houver ninguém da família no Solar, essas pessoas têm uma casa muito boa e nada para fazer.

— Isso é verdade.

— Barrymore foi beneficiado de alguma forma no testamento de Sir Charles? — perguntou Holmes.

— Ele e a esposa receberam quinhentas libras cada um.
— Ah! Eles sabiam que iam receber isso?
— Sabiam. Sir Charles gostava muito de falar sobre seu testamento.
— Isso é muito interessante.
— Espero — disse o Dr. Mortimer — que você não olhe com desconfiança para todos que receberam um legado de Sir Charles, pois eu também fui contemplado com mil libras.
— Não diga! E mais alguém?
— Ele deixou muitas quantias insignificantes para algumas pessoas e para um grande número de instituições de caridade públicas. Todo o resto foi para Sir Henry.
— E quanto foi esse resto?
— Setecentas e quarenta mil libras.
Holmes levantou as sobrancelhas, surpreso.
— Eu não tinha ideia de que uma soma tão vultuosa estava envolvida — disse.
— Sir Charles tinha fama de ser rico, mas não sabíamos o quanto ele era rico até que examinamos seus títulos. O valor total da herança é de quase um milhão.
— Meu Deus! É um valor pelo qual um homem pode, sem dúvida nenhuma, arriscar-se em um jogo desesperado. E mais uma pergunta, Dr. Mortimer. Suponhamos que alguma coisa aconteça com nosso jovem amigo aqui... perdoe-me pela desagradável hipótese! Quem herdaria a propriedade e os bens?
— Uma vez que Rodger Baskerville, irmão mais novo de Sir Charles, morreu solteiro, a propriedade iria para os Desmond, que são primos distantes. James Desmond é um clérigo idoso em Westmoreland.
— Obrigado. Esses detalhes são todos de grande interesse. Você já conheceu o Sr. James Desmond?
— Sim. Certa vez ele foi visitar Sir Charles. Ele é um homem de aparência venerável e de vida virtuosa. Lembro-me que ele se recusou a aceitar qualquer doação de Sir Charles, apesar de ele ter insistido.
— E esse homem de gostos tão simples seria o herdeiro dos bens de Sir Charles?

— Ele seria o herdeiro da propriedade, porque está vinculada. Também herdaria o dinheiro, a menos que o proprietário atual fizesse testamento em contrário, o que tem todo direito de fazer.

— E você fez seu testamento, Sir Henry?

— Não, Sr. Holmes, não fiz. Não tive tempo, pois foi apenas ontem que fiquei a par da situação. Mas, de qualquer forma, sinto que o dinheiro deve acompanhar o título e a propriedade. Essa foi a ideia do meu pobre tio. Como o proprietário será capaz de restaurar as glórias dos Baskerville se não tiver dinheiro suficiente para manter a propriedade? Casa, terra e dólares devem andar juntos.

— Muito bem, Sir Henry, estou de acordo com você sobre a conveniência de ir para Devonshire sem demora. Há apenas uma condição que devo impor. Você certamente não deve ir sozinho.

— Dr. Mortimer voltará comigo.

— Mas o Dr. Mortimer tem sua clientela para atender e a casa dele fica a quilômetros de distância da sua. Por mais que tenha toda a boa vontade do mundo, ele pode ser incapaz de ajudá-lo. Não, Sir Henry, deve levar com você um homem de confiança, que possa estar sempre ao seu lado.

— É possível que vá comigo, Sr. Holmes?

— Se as coisas chegarem a um ponto de crise, eu vou me esforçar para comparecer pessoalmente. Mas deve entender que, com minha extensa prática de consultoria e com os constantes apelos que me chegam de muitos lugares, é impossível que eu me ausente de Londres por tempo indeterminado. No presente momento, um dos nomes mais reverenciados da Inglaterra está sendo ofendido por um chantagista, e só eu posso parar um escândalo desastroso. Espero que você compreenda como é impossível que eu vá para Dartmoor.

— Então, quem você recomendaria?

Holmes pôs a mão no meu braço.

— Se meu amigo aceitar, não há homem que valha mais a pena ter ao seu lado em momentos de apuros. Ninguém pode afirmar isso com mais confiança do que eu.

A proposta me pegou completamente de surpresa, mas antes que eu tivesse tempo de responder, Baskerville me agarrou pela mão e apertou-a com entusiasmo.

— Bem, isso é muito gentil da sua parte, Dr. Watson — disse ele. — O senhor conhece o meu jeito e sabe tanto sobre o assunto quanto eu. Se me acompanhar até o Solar Baskerville e me ajudar, nunca vou me esquecer.

A promessa de uma aventura sempre foi fascinante para mim, e fiquei lisonjeado pelas palavras de Holmes e pela ânsia com que o baronete me saudava como acompanhante.

— Eu irei com prazer — falei. — Não sei como eu poderia empregar melhor o meu tempo.

— E você vai relatar tudo com detalhes para mim — disse Holmes.

— Quando acontecer uma crise, como certamente acontecerá, eu lhe direi como deve agir. Suponho que no sábado tudo já esteja arranjado?

— Isso é conveniente para o Dr. Watson?

— Perfeitamente.

— Então, no sábado, a menos que lhe comuniquemos algo ao contrário, nós nos encontraremos no trem que sai de Paddington às 10h30.

Tínhamos nos levantado para partir quando Baskerville soltou um grito de triunfo e, mergulhando em um dos cantos da sala, tirou uma bota marrom de debaixo de um armário.

— Minha bota perdida! — exclamou.

— Que todas as nossas dificuldades desapareçam tão facilmente! — disse Sherlock Holmes.

— Mas é algo muito singular — observou o Dr. Mortimer. — Fui muito cuidadoso em minha busca pela bota neste cômodo antes do almoço.

— E eu também — disse Baskerville. — Cada centímetro dele.

— Definitivamente não tinha nenhuma bota aqui àquela hora.

— Nesse caso, o camareiro deve tê-la colocado ali enquanto almoçávamos.

O camareiro alemão foi chamado, mas declarou não saber nada do assunto, e não pôde esclarecer nenhuma outra indagação. Outro item tinha sido acrescentado àquela série constante e aparentemente sem propósito de pequenos mistérios que se sucediam tão rapidamente. Deixando de lado toda a sombria história da morte de Sir Charles, tivemos uma sucessão de incidentes inexplicáveis, todos dentro do intervalo de dois dias, que incluíam o recebimento da carta com palavras recortadas, o espião de barba negra na carruagem, a perda da nova bota marrom, a perda da velha bota preta e agora o retorno da nova bota marrom. Holmes ficou em silêncio na carruagem enquanto voltávamos para Baker Street, e eu sabia, pelas sobrancelhas franzidas e pelo semblante aguçado, que sua mente, como a minha, estava ocupada no esforço de formular algum esquema em que todos esses episódios estranhos e aparentemente desconexos pudessem ser encaixados. Ele ficou sentado a tarde inteira e toda a noite, fumando e pensando.

Pouco antes do jantar, dois telegramas foram entregues. O primeiro dizia:

"Acabei de saber que Barrymore está no Solar.

Baskerville"

O segundo:

"Visitei vinte e três hotéis como orientado, mas lamento relatar incapaz de achar páginas cortadas de *Times*.

Cartwright"

— Lá vão dois dos meus fios, Watson. Não há nada mais estimulante do que um caso em que tudo vai contra você. Temos que procurar outra pista.

— Nós ainda temos o cocheiro que estava conduzindo para o espião.

— Exatamente. Passei um telegrama para obter seu nome e endereço do Registro Oficial. Eu não ficaria surpreso se isso fosse uma resposta à minha pergunta.

A campainha provou ser ainda mais satisfatória do que uma resposta, pois a porta se abriu e um sujeito de aparência rude entrou, evidentemente o próprio cocheiro.

— Recebi uma mensagem da sede dizendo que um senhor deste endereço estava perguntando pelo 2704 — falou ele. — Faz sete anos que conduzo minha carruagem e nunca recebi uma reclamação. Vim direto do pátio para lhe perguntar o que você tem contra mim.

— Não tenho nada no mundo contra você, meu bom homem — disse Holmes. — Pelo contrário, tenho meio soberano para você se responder às minhas perguntas com clareza.

— Bem, não há dúvida de que hoje é um bom dia — disse o cocheiro com um sorriso. — O que você quer me perguntar, senhor?

— Primeiro de tudo, o seu nome e endereço, no caso de eu precisar encontrá-lo novamente.

— John Clayton, Turpey Street, número 3, no Borough. Minha carruagem sai do Shipley's Yard, perto da Waterloo Station.

Sherlock Holmes tomou nota.

— Agora, Clayton, conte-me tudo sobre o seu passageiro que veio aqui e ficou observando esta casa às dez horas da manhã e depois seguiu os dois cavalheiros pela Regent Street.

O homem pareceu surpreso e um pouco envergonhado.

— Ora, não há motivo para lhe contar, pois você parece saber tanto quanto eu — disse ele. — A verdade é que o cavalheiro me disse que ele era um detetive e que eu não deveria dizer nada sobre ele a ninguém.

— Meu bom companheiro, este é um caso muito sério, e você pode se encontrar em uma posição muito ruim se tentar esconder algo de mim. Você está me dizendo que seu passageiro lhe disse que era detetive?

— Sim, disse.

— Quando ele disse isso?

— Quando ele me deixou.

— E disse mais alguma coisa?

— Mencionou o nome dele.

Holmes lançou um rápido olhar de triunfo para mim.

— Oh, ele mencionou o nome dele, não é? Isso foi imprudente. Qual foi o nome que ele mencionou?

— O nome dele — disse o cocheiro — era Sherlock Holmes.

Nunca vi meu amigo mais surpreso do que com a resposta do cocheiro. Por um instante, ficou em um perplexo silêncio. Então, explodiu em uma gargalhada.

— Um toque de mestre, Watson! Um toque inegável de mestre! — exclamou. — Sinto um florete tão rápido e flexível como o meu.

Ele me acertou em cheio desta vez. Então o nome dele era Sherlock Holmes, não é?
— Sim, senhor, esse era o nome do cavalheiro.
— Excelente! Diga-me onde você o pegou e tudo o que aconteceu.
— Ele me chamou às nove e meia em Trafalgar Square. Disse que era detetive e me ofereceu dois guinéus se eu fizesse exatamente o que ele pedisse o dia todo e não fizesse perguntas. Fiquei feliz o suficiente para concordar. Primeiro nós fomos até o Northumberland Hotel e esperamos lá até que dois cavalheiros saíssem e pegassem uma carruagem. Nós seguimos a carruagem até que ela parou aqui.
— Nesta mesma porta — disse Holmes.
— Bem, não posso ter certeza disso, mas ouso dizer que meu passageiro sabia tudo a esse respeito. Mas paramos aqui perto e esperamos uma hora e meia. Então os dois cavalheiros passaram por nós, andando, e seguimos pela Baker Street e ao longo...
— Eu sei — disse Holmes.
— Até que chegamos à metade da Regent Street. Então, meu passageiro abriu a portinhola e gritou que eu devia ir imediatamente para a Waterloo Station o mais rápido que eu pudesse. Fustiguei a égua e nós chegamos em dez minutos. Ele me deu os dois guinéus, como um homem de bem, e foi para a estação. Já ia se afastando quando se virou e disse: "Pode ser interessante saber que você esteve conduzindo o Sr. Sherlock Holmes." Foi assim que ele disse o nome.
— Entendo. E você não o viu mais?
— Não mais, depois que ele entrou na estação.
— E como você descreveria o Sr. Sherlock Holmes?
O cocheiro coçou a cabeça.
— Bem, ele não é um cavalheiro muito fácil de descrever. Eu diria que tem quarenta anos de idade, de estatura mediana, dois ou três centímetros mais baixo que o senhor. Estava vestido como um dândi, e tinha uma barba preta, quadrada na ponta, e um rosto pálido. Acho que não sou capaz de dizer mais nada além disso.
— Qual era a cor dos olhos dele?
— Não, não saberia dizer isso.
— Não há mais nada de que você se lembre?

— Não, senhor, nada.

— Bem, então aqui está seu meio soberano. Há outro esperando por você se puder trazer mais alguma informação. Boa noite!

— Boa noite, senhor, e obrigado!

John Clayton partiu rindo e Holmes virou-se para mim com um encolher de ombros e um sorriso triste.

— Lá se vai o nosso terceiro fio, e voltamos ao começo — disse ele. — O patife astuto! Ele conhecia nosso número, sabia que Sir Henry Baskerville tinha me consultado, descobriu quem eu era na Regent Street, conjecturou que eu tinha conseguido o número da carruagem e colocaria minhas mãos no cocheiro, então mandou de volta essa mensagem audaciosa. Eu lhe digo, Watson, desta vez nós temos um inimigo que é digno da nossa espada. Levei um xeque-mate em Londres. Só posso desejar-lhe melhor sorte em Devonshire. Mas estou incomodado quanto a isso.

— Quanto ao quê?

— Quanto a enviar você. É um caso feio, Watson, um caso feio e perigoso, e quanto mais eu vejo, menos gosto. Sim, meu caro amigo, você pode rir, mas dou a minha palavra de que ficarei muito feliz em ter você de volta são e salvo em Baker Street.

CAPÍTULO VI

O Solar Baskerville

Sir Henry Baskerville e o Dr. Mortimer estavam prontos no dia marcado, e partimos como combinado para Devonshire. Sherlock Holmes foi comigo até a estação e me deu suas últimas instruções e conselhos.

— Não vou influenciar sua mente sugerindo teorias ou suspeitas, Watson — disse. — Eu desejo que você simplesmente relate os fatos da maneira mais completa possível para mim, e pode deixar que me encarrego da teorização.

— Que tipo de fatos? — perguntei.

— Qualquer coisa que pareça ter uma influência indireta sobre o caso, e especialmente as relações entre o jovem Baskerville e seus vizinhos ou quaisquer novos detalhes sobre a morte de Sir Charles. Eu mesmo fiz algumas perguntas nos últimos dias, mas temo que os resultados tenham sido negativos. Só uma coisa parece certa, e é que o Sr. James Desmond, que é o próximo herdeiro, é um senhor idoso de índole muito amável, de modo que essa perseguição não pode vir dele. Eu realmente acho que podemos eliminá-lo inteiramente de nossas conjecturas. Restam as pessoas que realmente ficarão em torno de Sir Henry Baskerville na charneca.

— Não seria bom, em primeiro lugar, livrar-se desse casal Barrymore?

— De jeito nenhum. Você não poderia cometer um erro maior. Se eles forem inocentes, seria uma injustiça vil, e se eles forem culpados, estaríamos desistindo de todas as chances de acusá-los. Não, não, vamos mantê-los em nossa lista de suspeitos. Além disso, tem um cavalariço no Solar, se bem me lembro. Existem dois fazendeiros na charneca. Tem o nosso amigo Dr. Mortimer, a quem acredito ser totalmente honesto, e tem a esposa dele, de quem nada sabemos. Há o naturalista, Stapleton, e sua irmã, que dizem ser uma jovem atraente. Há o Sr. Frankland, do Solar Lafter, que também é um fator desconhecido, e há um ou dois outros vizinhos. Estas são as pessoas que você deve estudar de um modo muito cuidadoso.

— Eu farei o meu melhor.

— Você está levando suas armas, suponho?

— Sim, eu achei melhor levá-las.

— Certamente. Mantenha seu revólver perto de você noite e dia e nunca relaxe suas precauções.

Nossos amigos já tinham conseguido um vagão de primeira classe e estavam esperando por nós na plataforma.

— Não, não temos notícias de qualquer tipo — disse o Dr. Mortimer em resposta às perguntas do meu amigo. — Eu posso jurar uma coisa: nós não fomos seguidos nos últimos dois dias. Não saímos sem manter uma intensa vigilância, e ninguém poderia ter escapado à nossa atenção.

— Vocês sempre se mantiveram juntos, presumo?

— Exceto ontem à tarde. Eu sempre dedico um dia para me divertir quando venho à cidade, então o passei no Museu do Colégio de Cirurgiões.

— E eu fui olhar as pessoas no parque — disse Baskerville. — Mas não tivemos nenhum problema de qualquer espécie.

— Mesmo assim, foi uma imprudência — disse Holmes, meneando a cabeça e parecendo muito sério. — Eu lhe imploro, Sir Henry, que você não saia sozinho. Alguma grande desgraça poderá acontecer se o fizer. Conseguiu encontrar sua outra bota?

— Não, senhor, ela se foi para sempre.

— De fato isso é muito interessante. Bem, adeus — disse ele quando o trem começou a deslizar pela plataforma. — Tenha em mente, Sir Henry, uma das frases daquela velha e estranha lenda que o Dr. Mortimer nos leu e evite a charneca naquelas horas de escuridão quando as forças do mal estão exaltadas.

Olhei de volta para a plataforma quando a deixamos bem para trás e vi a figura alta e austera de Holmes imóvel, fitando-nos.

A viagem foi rápida e agradável, e passei-a conhecendo mais intimamente meus dois companheiros e brincando com o spaniel do Dr. Mortimer. Em poucas horas a terra marrom tornara-se avermelhada, o tijolo transformara-se em granito e as vacas de pelagem acastanhada pastavam em campos bem protegidos, onde a grama e uma vegetação exuberante falavam de um clima mais rico, ainda que mais úmido. O jovem Baskerville olhou ansioso pela janela e soltava exclamações de prazer ao reconhecer as características familiares do cenário de Devon.

— Conheci boa parte do mundo desde que fui embora, Dr. Watson — disse ele —, mas nunca vi um lugar que se compare a esse.

— Eu nunca vi um homem de Devonshire que não exaltasse seu condado — comentei.

— Isso depende tanto da estirpe dos homens quanto do condado — disse Mortimer. — Um olhar para o nosso amigo aqui revela a cabeça arredondada do celta, que carrega dentro de si o entusiasmo celta e a capacidade de se apegar. A cabeça do pobre Sir Charles era de um tipo muito raro, metade gaélica, e metade hibérnica em suas características. Mas você era muito jovem quando viu pela última vez o Solar Baskerville, não era?

— Eu era um adolescente quando meu pai morreu e nunca tinha visto o Solar, pois ele morava em um chalé na costa sul. De lá, fui direto encontrar um amigo na América. Eu lhe digo que tudo é tão novo para mim como é para o Dr. Watson, e estou tão ansioso quanto possível para ver a charneca.

— Você está? Então o seu desejo será facilmente concedido, pois aí está a sua primeira visão da charneca — disse o Dr. Mortimer, apontando para fora da janela do trem.

Acima dos quadrados verdes dos campos e da curva baixa de um bosque, erguia-se à distância uma colina cinzenta e melancólica, com um estranho cume irregular, escura e indistinta ao longe, como uma paisagem fantástica de um sonho. Baskerville passou muito tempo com os olhos pregados nela, e vi no seu semblante ansioso o quanto ela significava para ele, a primeira visão daquele estranho lugar onde os homens de seu sangue tinham dominado por tanto tempo e deixado uma marca profunda. Lá estava ele, com seu terno de *tweed* e seu sotaque americano, no canto de um vagão prosaico, e ainda assim, enquanto olhava para seu rosto sombrio e expressivo, eu sentia mais do que nunca que ele era o verdadeiro descendente daquela longa linhagem de homens temperamentais, impetuosos e dominadores. Havia orgulho, coragem e força em suas sobrancelhas espessas, suas narinas sensíveis e seus grandes olhos castanho-esverdeados. Se naquela charneca assustadora uma busca difícil e perigosa se estendia à nossa frente, esse era pelo menos um camarada por quem podíamos ousar nos arriscar com a certeza de que ele nos acompanharia com bravura.

O trem parou em uma pequena estação à beira do caminho e nós descemos. Lá fora, além de uma cerca branca baixa, uma carroça puxada por uma robusta parelha de cavalos nos aguardava. A nossa vinda era, evidentemente, um grande evento, uma vez que tanto o chefe da estação quanto os carregadores se aglomeraram à nossa volta para levar a bagagem. Era um local agradavelmente simples, mas fiquei surpreso ao observar que, no portão, tinha dois soldados de uniforme escuro, que se apoiavam em seus rifles e olharam para nós intensamente quando passamos. O cocheiro, um sujeitinho de rosto duro e retorcido, saudou Sir Henry Baskerville e, em poucos minutos, estávamos seguindo com velocidade pela estrada larga e branca. Terras de pastagens se curvavam para cima de ambos os lados, e velhas casas triangulares apareciam no meio da densa folhagem verde, mas por trás da pacífica e ensolarada paisagem rural iluminada pelo sol erguia-se sempre, escura contra o céu vespertino, a curva longa e sombria da charneca, quebrada pelos morros recortados e lúgubres.

A carroça virou em uma estrada lateral, e fizemos uma curva ascendente através de sendas profundas gastas por séculos de rodas, ribanceiras altas dos dois lados, carregadas de musgos e avencas gotejantes. Samambaias cor de bronze e sarças mosqueadas cintilavam à luz do sol poente. Sempre subindo, passamos sobre uma estreita ponte de granito e margeamos um riacho ruidoso que descia impetuosamente, espumando e rugindo entre os penedos. Tanto a estrada quanto o riacho passavam por um vale denso com matagal e abetos. A cada curva,

Baskerville soltava uma exclamação de prazer, olhando ansiosamente ao redor e fazendo inúmeras perguntas. Para os olhos dele tudo parecia bonito, mas para mim havia um toque de melancolia no campo, que mostrava tão nitidamente a marca do ano minguante. Folhas amarelas recobriam as pistas e desciam sobre nós quando passávamos. O ruído de nossas rodas desapareceu quando nos dirigimos a montes de vegetação apodrecida, um presente triste, como me pareceu, que a natureza lançava diante da carruagem do herdeiro dos Baskerville que retornava.

— Oh! — exclamou o Dr. Mortimer. — O que é isso?

Uma curva íngreme de terra coberta de urzes, uma projeção periférica da charneca, surgiu à nossa frente. No cume, duro e claro como uma estátua equestre sobre seu pedestal, estava um soldado montado, escuro e severo, com o fuzil pronto sobre o antebraço. Ele estava observando a estrada pela qual viajávamos.

— O que é isso, Perkins? — perguntou o Dr. Mortimer.

Nosso cocheiro virou-se em seu assento.

— Um prisioneiro escapou de Princetown, senhor. Faz três dias que está solto, e os guardas vigiam todas as estradas e a estação, mas até agora não viram sinal dele. Os fazendeiros daqui não estão gostando disso, senhor, não estão mesmo.

— Bem, pelo que sei, eles ganham cinco libras se puderem dar informações.

— Sim, senhor, mas a chance de cinco libras é muito pouco em comparação com a chance de ter sua garganta cortada. Você vê, não é um condenado qualquer. Esse é um homem que não hesitaria diante de nada.

— Mas quem é ele?

— É Selden, o assassino de Notting Hill.

Recordava-me bem do caso, porque Holmes tinha se interessado pela ferocidade peculiar dos crimes e pela brutalidade desenfreada que havia caracterizado todas as ações do assassino. A comutação de sua sentença de morte se dera por conta de algumas dúvidas quanto à sua completa sanidade, tão atroz era sua conduta. Nossa carroça chegara ao topo de uma elevação e diante de nós erguia-se a imensa expansão da charneca, manchada por montes de pedras e toras retorcidas e escarpadas. Um vento frio veio de lá, fazendo-nos estremecer. Em algum lugar daquela planície desolada, estava à espreita aquele homem diabólico, escondido em uma toca como uma besta selvagem, com o coração cheio de maldade contra toda a raça que o expulsara. Era necessário, porém, completar a sugestão sombria do deserto estéril, o vento gelado e o céu sombrio. Até mesmo Baskerville ficou em silêncio e apertou ainda mais o sobretudo à volta do corpo.

Nós tínhamos deixado o terreno fértil para trás e abaixo de nós. Olhávamos para trás agora, os raios oblíquos de um sol baixo transformava os riachos em fios de ouro e brilhavam sobre a terra vermelha revirada pelo arado e sobre o emaranhado largo dos bosques. A estrada diante de nós ficava mais deserta e agreste por sobre enormes encostas castanho-avermelhadas e verde-oliva, salpicadas por penedos gigantescos. De vez em quando passávamos por uma cabana na charneca, murada e coberta de pedra, sem trepadeira para quebrar sua fachada severa. De repente, olhamos para uma depressão parecida com uma xícara, remendada com carvalhos e abetos que haviam sido torcidos e curvados pela fúria de anos de tempestade. Duas torres altas e estreitas erguiam-se sobre as árvores. O cocheiro apontou com o chicote.

— O Solar Baskerville — disse ele.

Seu patrão tinha se levantado e fitava a mansão com as bochechas coradas e os olhos cintilando. Poucos minutos depois, chegamos aos portões, um intricado arabesco em ferro forjado, com pilares corroídos pelo tempo de ambos os lados, cobertos de líquens e coroados pelas cabeças de javali dos Baskerville. A casa do porteiro era uma ruína de granito preto, mas em frente havia uma construção inacabada, o primeiro fruto do ouro sul-africano de Sir Charles.

Através do portão, entramos na alameda, onde as rodas foram novamente silenciadas pelas folhas, as velhas árvores estendendo seus galhos para formar um túnel sombrio sobre nossas cabeças. Baskerville estremeceu quando olhou para o longo e escuro caminho onde a casa brilhava como um fantasma na extremidade mais distante.

— Foi aqui? — perguntou ele em voz baixa.

— Não, não, a Aleia dos Teixos fica do outro lado.

O jovem herdeiro olhou em volta com um rosto sombrio.

— Não me admira meu tio achar que fosse ter problemas em um lugar como este — falou. — É o suficiente para assustar qualquer homem. Vou mandar instalar uma fileira de lâmpadas elétricas aqui dentro de seis meses, e vocês não vão reconhecer o lugar com uma Swan e Edison de mil velas bem aqui diante da porta do solar."

A alameda se abria para uma ampla extensão de grama e a casa jazia diante de nós. À luz esmaecida, pude ver que o centro era um bloco pesado de construção do qual se projetava um alpendre. Toda a frente estava coberta de hera, com um pedaço de pano aparente aqui e ali, onde uma janela e um brasão de armas atravessavam o véu escuro. Desse bloco central erguiam-se as torres gêmeas, antigas, crenuladas e perfuradas por muitas brechas. À direita e à esquerda das torrinhas estavam as alas mais modernas em granito preto. Uma luz fraca brilhava através de grandes janelas gradeadas e, das altas chaminés que se erguiam do telhado íngreme e alto, saía uma única coluna negra de fumaça.

— Bem-vindo, Sir Henry! Bem-vindo ao Solar Baskerville!

Um homem alto saiu da sombra da varanda para abrir a porta da carroça. A figura de uma mulher delineava-se contra a luz amarela do salão. Ela saiu e ajudou o homem a pegar nossas malas.

— Você não se importa se eu for direto para casa, Sir Henry? — perguntou o Dr. Mortimer. — Minha esposa está me esperando."

— Certamente você vai ficar e jantar conosco?

— Não, eu devo ir. Provavelmente vou encontrar algum trabalho esperando por mim. Eu ficaria para mostrar-lhe a casa, mas Barrymore será um guia melhor do que eu. Adeus, e nunca hesite, noite ou dia, em me chamar se eu puder ser útil.

O barulho das rodas desapareceu no caminho enquanto Sir Henry e eu entramos no corredor e a porta bateu fortemente atrás de nós. Era um belo aposento aquele em que nos encontrávamos, grande e fortemente cercado de enormes carreiras de carvalho escurecido pela idade. Na grande e antiga lareira atrás dos cães de ferro, uma fogueira crepitava. Sir Henry e eu estendemos os braços para ela, pois nossas mãos estavam dormentes após a nossa longa viagem. Depois olhamos ao nosso redor, a janela alta de vitrais antigos, os painéis de carvalho, as cabeças dos cervos, os brasões de armas sobre as paredes, todos escuros e sombrios à luz suave da lâmpada central.

— É exatamente como eu imaginei — disse Sir Henry. — Não é a própria imagem de uma antiga casa de família? Pensar que este deve ser o mesmo salão em que, durante quinhentos anos, minha família viveu. Parece-me solene pensar nisso.

Vi seu rosto escuro se iluminar com um entusiasmo juvenil enquanto ele contemplava tudo à sua volta. A luz batia sobre ele, mas longas sombras desciam pelas paredes e o encimavam como um dossel preto. Barrymore voltara após levar nossa bagagem para nossos quartos. Parou à nossa frente com o jeito moderado de um servo bem treinado. Ele era um homem de aparência notável, alto, bonito, com uma barba preta quadrada e traços distintos e pálidos.

— Gostaria que o jantar fosse servido agora, senhor?

— Já está pronto?

— Em poucos minutos, senhor. Vocês encontrarão água quente em seus quartos. Minha esposa e eu ficaremos felizes, Sir Henry, de permanecer com o senhor até que tenha feito seus novos arranjos, mas o senhor deve entender que, sob as novas condições, esta casa exigirá uma equipe considerável.

— Que novas condições?

— Quero dizer, senhor, que Sir Charles levou uma vida reclusa, e fomos capazes de cuidar de seus desejos. O senhor, naturalmente, deve gostar de ter mais companhia e, portanto, precisará de mudanças em sua casa.

— Quer dizer que você e sua esposa querem ir embora?

— Somente quando for conveniente para o senhor.

— Mas sua família tem estado conosco por várias gerações, certo? Eu lamentaria iniciar minha vida aqui rompendo uma antiga ligação de família.

Tive a impressão de discernir alguns sinais de emoção no rosto pálido do mordomo.

— Também sinto isso, senhor, e minha esposa também. Mas para falar a verdade, senhor, ambos nos apegamos muito a Sir Charles, e sua morte nos chocou e tornou este lugar muito doloroso para nós. Temo que nunca mais nos sentiremos tranquilos no Solar Baskerville.

— Mas o que você pretende fazer?

— Não tenho dúvidas, senhor, de que conseguiremos nos estabelecer em algum negócio próprio. A generosidade de Sir Charles nos deu os meios para fazê-lo. E agora, senhor, talvez seja melhor eu lhe mostrar seus quartos.

Uma galeria quadrada com balaustrada rodeava o topo do velho salão, acessada por um par de escadas. Desse ponto central, dois longos corredores se estendiam por toda a extensão do edifício, nos quais se abriam todos os quartos. O meu próprio estava na mesma ala que o de Baskerville e quase ao lado do dele. Esses quartos pareciam muito mais modernos do que a parte central da casa, e o papel brilhante e as inúmeras velas contribuíram para afastar a sombria impressão que nossa chegada deixara em minha mente.

A sala de jantar que se abria para fora do salão, no entanto, era um lugar sombrio e triste. Era um recinto comprido com um degrau separando o estrado onde a família se sentava da parte inferior reservada para os seus dependentes. Era dominada, em uma de suas extremidades, por um balcão para os músicos. Traves negras corriam sobre nossas cabeças, com um teto escurecido pela fumaça acima delas. Com fileiras de archotes para iluminá-la, e a cor e a alegria rude de um banquete de outros tempos, a sala poderia parecer mais suave; mas agora, com dois cavalheiros vestidos de preto sentados no pequeno círculo de luz projetado por um abajur velado, nossa voz era silenciada e o espírito, reprimido. Uma linha obscura de ancestrais, em toda variedade de vestimenta, desde o cavaleiro elisabetano até o fanfarrão da regência, olhava para nós e nos assustava com sua companhia silenciosa. Conversamos pouco, e eu, por um lado, fiquei contente quando a refeição terminou e pudemos seguir para a moderna sala de bilhar a fim de fumar um cigarro.

— Definitivamente não é um lugar muito alegre — disse Sir Henry.

— Eu suponho que se pode atenuar isso, mas eu me sinto um pouco deslocado no momento. Não me surpreende que meu tio tenha ficado um pouco nervoso de morar sozinho em uma casa como esta. No entanto, se for melhor para você, vamos nos retirar cedo e talvez as coisas pareçam mais alegres de manhã.

Afastei minhas cortinas antes de ir para a cama e olhei para fora da minha janela. Ela dava para um gramado que ficava em frente à porta do solar. Do outro lado, dois bosques de árvores gemiam e balançavam em um vento crescente. Uma meia-lua rompeu as fendas das nuvens. Em sua luz fria, vi além das árvores uma franja quebrada de pedras e a curva longa e baixa da charneca melancólica. Fechei a cortina, sentindo que minha última impressão estava de acordo com o resto. E ainda assim não era a última. Eu me vi cansado e, no entanto, desperto, agitado e me revirava na cama de um lado para o outro, em busca de um sono que não vinha. Ao longe, um relógio soou os quartos das horas, mas, a não ser por isso, um silêncio mortal jazia sobre a velha casa. E então, de repente, na própria madrugada, veio um som aos meus ouvidos, claro, ressonante e inconfundível. Era o soluço de uma mulher, o suspiro abafado e estrangulado de alguém que está dilacerada por uma tristeza incontrolável. Sentei-me na cama e ouvi atentamente. O barulho não podia estar longe e certamente vinha de dentro da casa. Esperei durante meia hora, cada nervo em estado de alerta, mas não houve outro som, a não ser o ruído do relógio e o farfalhar da hera na parede.

CAPÍTULO VII

Os Stapleton da Casa Merripit

O frescor e a beleza da manhã seguinte conseguiram apagar de nossas mentes a impressão sombria e cinzenta que tinha sido deixada em nós dois por nossa primeira experiência no Solar Baskerville. Enquanto Sir Henry e eu tomávamos nosso desjejum, a luz do sol entrava pelas janelas altas, jogando manchas de cor nos brasões que cobriam as paredes. Os painéis escuros brilhavam como bronze aos raios dourados, e era difícil perceber que aquele era, de fato, o aposento que tinha colocado tanta melancolia em nossas almas na noite anterior.

— Eu acho que somos nós mesmos, e não a casa que temos que culpar! — disse o baronete. — Estávamos cansados por conta da nossa jornada e gelados por causa da viagem na carroça, então tivemos uma visão cinzenta do lugar. Agora estamos frescos e nos sentindo bem, então tudo está alegre novamente.

— E, no entanto, não era inteiramente uma questão de imaginação — respondi. — Por acaso ouviu alguém, acho que era uma mulher, soluçando durante a noite?

— Isso é curioso, pois quando eu estava meio adormecido, imaginei ter ouvido algo do tipo. Esperei bastante tempo, mas não ouvi mais nada, então concluí que tudo tinha sido um sonho.

— Eu ouvi claramente, e tenho certeza de que era realmente o soluço de uma mulher.

— Precisamos perguntar sobre isso imediatamente.

Ele tocou a campainha e perguntou a Barrymore se ele podia explicar nossa experiência. Pareceu-me que os traços pálidos do mordomo ficaram ainda mais pálidos enquanto ouvia a pergunta do seu patrão.

— Há apenas duas mulheres na casa, Sir Henry — respondeu. — Uma é a copeira, que dorme na outra ala. A outra é minha esposa e posso lhe afirmar que o som não podia ter vindo dela.

E, no entanto, ele mentiu ao dizer isso, pois por acaso, depois do desjejum, encontrei a Sra. Barrymore no longo corredor, com o sol batendo em seu rosto. Ela era uma mulher impassível e pesada, com uma expressão severa e firme na boca. Mas seus olhos estavam vermelhos e olhavam para mim por entre as pálpebras inchadas. Fora ela, então, que chorara à noite e, se o fez, o marido devia saber disso. No entanto, ele correra o risco óbvio de ser desmascarado ao declarar que as coisas não tinham ocorrido dessa forma. Por que o fizera? E por que ela havia chorado tão amargamente? Ao redor daquele homem bonito, de barba preta e rosto pálido, reunia-se uma atmosfera de mistério e tristeza. Ele foi o primeiro a descobrir o corpo de Sir Charles, e tínhamos apenas a sua palavra a respeito de todas as circunstâncias que levaram à morte do velho. Seria possível que fosse Barrymore que tínhamos visto na carruagem na Regent Street? A barba podia muito bem ser a mesma. O cocheiro tinha descrito um homem um pouco mais baixo, mas tal impressão podia facilmente ter sido errônea. Como elucidar essa questão de uma vez por todas? Obviamente, a primeira coisa a fazer era procurar o agente do correio de Grimpen e descobrir se o telegrama tinha realmente sido entregue nas próprias mãos de Barrymore. Não importava qual fosse a resposta, pelo menos eu teria algo para relatar a Sherlock Holmes.

Sir Henry tinha vários papéis para examinar depois do desjejum, de modo que o momento era propício para minha excursão. Foi um agradável passeio de pouco mais de seis quilômetros ao longo da borda da charneca, levando-me finalmente a uma pequena aldeia monótona, em que duas construções maiores, que se provaram ser a estalagem e a casa do Dr. Mortimer, destacavam-se do resto. O agente do correio, que também era o merceeiro da aldeia, tinha uma lembrança clara do telegrama.

— Certamente, senhor — disse ele. — Recebi o telegrama e mandei entregá-lo ao Sr. Barrymore exatamente como foi pedido.

— Quem entregou?

O CÃO DOS BASKERVILLE 71

— Meu menino aqui. James, você entregou aquele telegrama ao Sr. Barrymore no Solar na semana passada, não foi?
— Sim, pai, eu entreguei.
— Nas mãos dele? — perguntei.
— Bem, como ele estava no sótão, não consegui entregá-lo diretamente a ele, mas entreguei nas mãos da Sra. Barrymore, e ela prometeu que levaria a ele imediatamente.
— Você viu o Sr. Barrymore?
— Não, senhor. Como eu lhe disse, ele estava no sótão.
— Se você não o viu, como sabe que ele estava no sótão?
— Bem, certamente a esposa dele devia saber onde ele estava — disse o agente do correio, irritado. — Ele não recebeu o telegrama? Se houve algum problema, o próprio Barrymore deve reclamar.

Parecia inútil prosseguir com a investigação, mas estava claro que, apesar do artifício de Holmes, não tínhamos provas de que Barrymore não estivesse em Londres o tempo todo. Supondo que fosse assim... supondo que o mesmo homem tenha sido o último a ver Sir Charles vivo e o primeiro a perseguir o novo herdeiro quando ele retornou à Inglaterra. O que concluir? Seria ele um intermediário, ou tinha algum motivo sinistro próprio? Que interesse ele podia ter em perseguir a família Baskerville? Lembrei-me do estranho aviso retirado do editorial do *Times*. Aquilo fora obra sua, ou quem sabe o gesto de alguém decidido a contrariar seus planos? O único motivo concebível era o que havia sido sugerido por Sir Henry, de que, se a família pudesse ser afugentada, um lar confortável e permanente estaria assegurado para os Barrymore. Mas certamente uma explicação como essa seria bastante inadequada para explicar as intrigas profundas e sutis que pareciam estar tecendo uma rede invisível ao redor do jovem baronete. O próprio Holmes dissera que nenhum caso mais complexo lhe ocorrera em toda a longa série de investigações sensacionais a que se dedicara. Rezei, enquanto seguia de volta pela estrada cinzenta e solitária, para que meu amigo logo se libertasse de suas preocupações e pudesse vir para tirar esse pesado fardo de responsabilidade dos meus ombros.

De repente, meus pensamentos foram interrompidos pelo som de pés correndo atrás de mim e por uma voz que me chamou pelo nome. Eu me virei, esperando ver o Dr. Mortimer, mas, para minha surpresa, era um estranho que estava a me perseguir. Era um homem baixo, magro, com a barba feita e de rosto esbelto, cabelo louro e queixo pequeno, entre trinta e quarenta anos de idade, vestindo um terno cinza e usando um chapéu de palha. Uma caixa de lata para espécimes botânicos estava pendurada em seu ombro e ele carregava uma rede verde de borboletas em uma das mãos.

— Estou certo de que o senhor vai desculpar a minha presunção, Dr. Watson — disse ele quando veio ofegante até onde eu estava. — Aqui na charneca somos gente caseira e não esperamos por apresentações formais. Você pode ter ouvido meu nome de nosso amigo Mortimer. Eu sou Stapleton, da Casa Merripit.

— Sua rede e caixa teriam me dito isso — disse eu —, porque eu soube que o Sr. Stapleton é naturalista. Mas como você me identificou?

— Fiz uma visita ao Mortimer, e ele apontou para você da janela de sua sala de cirurgia, enquanto o senhor passava. Como o nosso caminho era o mesmo, pensei em alcançá-lo para me apresentar. Espero que Sir Henry já tenha se restaurado da viagem.

— Ele está muito bem, obrigado.

— Estávamos todos receosos de que, após a triste morte de Sir Charles, o novo baronete se recusasse a morar aqui. É pedir muito para um homem rico se enterrar em um lugar como esse, mas não preciso lhe dizer que isso significa muito para a região. Suponho que Sir Henry não tenha medos supersticiosos no assunto.

— Eu não acho que isso seja provável.

— É claro que você conhece a lenda do cão diabólico que assombra a família, não conhece?

— Já ouvi a respeito.

— É extraordinário como os camponeses são crédulos por aqui! Qualquer um deles está pronto para jurar que viu uma criatura assim na charneca. — Ele disse isso com um sorriso, mas li em seus olhos que ele levava o assunto mais a sério. — A história teve grande influência sobre a imaginação de Sir Charles, e não tenho dúvidas de que isso o levou ao seu fim trágico.

— Mas como?

— Seus nervos estavam tão tensos que a aparência de qualquer cachorro poderia ter um efeito fatal sobre seu coração doente. Eu imagino que ele realmente tenha visto algo do tipo na Aleia dos Teixos em sua última noite. Eu temia que algum desastre pudesse acontecer, pois tinha grande afeição pelo velho e sabia que seu coração estava fraco.

— Como você sabia disso?

— Meu amigo Mortimer me disse.

— Então, você acha que algum cachorro perseguiu Sir Charles e que ele morreu de medo em consequência disso?

— Você tem alguma explicação melhor?

— Não cheguei a nenhuma conclusão.

— E o Sr. Sherlock Holmes chegou?

As palavras tiraram meu fôlego por um instante, mas bastou um olhar para o rosto plácido e para os olhos firmes do meu companheiro para que eu percebesse que não tivera a intenção de me surpreender.

— É inútil fingir que não conhecemos você, Dr. Watson — disse ele. — Todas as histórias do seu detetive chegaram até nós, e você não poderia celebrá-lo sem também ser conhecido. Quando Mortimer me disse seu nome, ele não pôde negar sua identidade. Se você está aqui, é porque o próprio Sr. Sherlock Holmes está interessado no assunto, e estou naturalmente curioso para saber que opinião ele pode ter.

— Receio não poder responder a essa pergunta.

— Posso perguntar se ele vai nos dar a honra de uma visita?

— Ele não pode sair da cidade no momento. Ele tem outros casos que requerem sua atenção.

— Que pena! Ele podia lançar alguma luz sobre o que é tão sombrio para nós. Mas, quanto às suas próprias investigações, se houver alguma maneira possível para ajudá-lo, confio que você vai me requisitar. Se eu tivesse alguma indicação da natureza de suas suspeitas ou de como você se propõe a investigar o caso, eu talvez pudesse lhe dar agora mesmo alguma ajuda ou conselho.

— Garanto-lhe que estou aqui simplesmente em uma visita ao meu amigo, Sir Henry, e que não preciso de nenhum tipo de ajuda.

— Excelente! — disse Stapleton. — Você está perfeitamente certo em ser cauteloso e discreto. Eu sou justamente repreendido pelo que considero uma intromissão injustificável, e prometo que não mencionarei o assunto novamente.

Chegamos a um ponto em que um caminho estreito de grama saía da estrada e atravessava a charneca. Uma colina íngreme e salpicada de penedos erguia-se à direita, a qual, em tempos passados, havia sido uma pedreira de granito. A face voltada para nós formava um penhasco escuro, com samambaias e arbustos crescendo em seus nichos. De uma distante elevação, pairava uma nuvem cinzenta de fumaça.

— Um passeio ao longo deste caminho nos leva até a Casa Merripit — disse ele. — Talvez você reserve uma hora para que eu tenha o prazer de apresentá-lo à minha irmã.

Meu primeiro pensamento foi que eu deveria estar ao lado de Sir Henry. Mas então me lembrei da pilha de papéis e notas que cobria a sua mesa. Era certo que eu não poderia ajudá-lo. E Holmes me orientara expressamente disse a estudar os vizinhos na charneca. Aceitei o convite de Stapleton e percorremos o caminho juntos.

— É um lugar maravilhoso, a charneca — comentou ele, olhando em volta para os declives ondulados, longas ondas verdes, com cristas de granito serrilhado espumando em fantásticos vagalhões. — Não tem como se cansar da charneca. Não faz ideia dos maravilhosos segredos que ela contém. É tão vasta, tão inóspita e tão misteriosa.

— Então a conhece bem?

— Eu só estou aqui há dois anos. Os moradores me chamariam de recém-chegado. Chegamos pouco depois de Sir Charles se estabelecer. Mas meus gostos me levaram a explorar cada recanto desta área, e acho que há poucos homens que a conhecem melhor do que eu.

— É tão difícil assim conhecê-la?

— Muito difícil. Veja, por exemplo, essa grande planície ao norte daqui, com os estranhos morros saindo dela. Você observa alguma coisa notável sobre isso?

— Seria um lugar maravilhoso para um galope.

— É natural que pense assim, e essa ideia já custou a vida de algumas pessoas. Está vendo aqueles pontos verdes brilhantes que se espalham densamente por toda sua extensão?

— Sim, eles parecem mais férteis do que o resto.

Stapleton riu.

— Aquele é o grande charco de Grimpen — disse. — Um passo em falso significa a morte para um homem ou animal. Ontem mesmo vi um dos pôneis da charneca se arriscar a passar por ele. Nunca mais saiu. Durante muito tempo vi sua cabeça se esticando para fora do lodaçal, mas acabou sendo tragado. Já é um perigo atravessá-lo mesmo em estações secas, mas depois dessas chuvas de outono é um lugar muito perigoso. E ainda assim posso encontrar meu caminho até o coração dele e retornar vivo. Meu Deus, lá está outro desses infelizes pôneis!

Algo marrom rolava e se jogava entre os juncos verdes. Então, um longo e agoniado pescoço se contorceu e um grito terrível ecoou sobre a charneca. Isso me deixou gelado de terror, mas os nervos do meu companheiro pareciam ser mais fortes do que os meus.

— Acabou! — disse ele. — O charco o tragou. Foram dois em dois dias, e muitos mais, talvez, pois eles se habituam a ir até lá no tempo seco e não reconhecem a diferença até que caíam nas garras do charco. É um lugar ruim, o grande charco de Grimpen.

— E você diz que pode penetrar nele?

— Sim, há um ou dois caminhos que um homem muito ativo pode seguir. Eu os descobri.

— Mas por que você desejaria entrar em um lugar tão horrível?

— Bem, você vê as colinas além? Elas são na verdade ilhas isoladas por todos os lados pelo charco intransponível, que se espalhou em torno delas no decorrer dos anos. É ali que estão as plantas e as borboletas raras, se você for astuto o suficiente para alcançá-las.

— Vou tentar a minha sorte algum dia.

Ele olhou para mim com uma expressão surpresa.

— Pelo amor de Deus, tire essa ideia de sua mente — disse ele. — A responsabilidade da sua morte recairia sobre mim. Garanto-lhe que não haveria a menor chance de você voltar vivo. Só consigo fazer isso me lembrando de certos pontos de referência complexos.

— Deus! — exclamei. — Mas o que é isso?

Um longo e baixo gemido, indescritivelmente triste, varreu a charneca. Encheu todo o ar, e ainda assim era impossível dizer de onde vinha. De um murmúrio surdo transformou-se em um rugido intenso e depois esmoreceu novamente em um murmúrio melancólico e palpitante. Stapleton olhou para mim com uma expressão curiosa no rosto.

— Lugar estranho, o charco! — disse ele.

— Mas o que foi isso?

— Os camponeses dizem que é o Cão dos Baskerville chamando por sua presa. Já ouvi isso uma ou duas vezes antes, mas nunca tão alto.

Com o coração enregelado de pavor, observei a planície enorme e ondulada à minha volta, sarapintada de manchas verdes de juncos. Nada se movia naquela vasta extensão, exceto um par de corvos, que grasnavam alto de um pico rochoso atrás de nós.

— Você é um homem instruído. Não acredita em bobagens como essa, não é? — perguntei. — A seu ver, qual pode ser a causa de um som tão estranho?

— Charcos fazem barulhos estranhos às vezes. É a lama se estabelecendo, ou a água subindo, ou algo assim.

— Não, não, essa era uma voz viva.

— Bem, talvez fosse. Você alguma vez já ouviu uma galinhola-real gritando?

— Não, nunca ouvi.

— É uma ave muito rara, praticamente extinta na Inglaterra agora, mas todas as coisas são possíveis na charneca. Sim, não me surpreenderia saber que o que ouvimos é o grito da última delas.

— É a coisa mais estranha e inusitada que já ouvi na vida.

— Sim, de fato é um lugar inquietante. Olhe para além da colina. O que você acha que seja?

Toda a encosta íngreme estava coberta de anéis circulares cinzentos de pedra, pelo menos uma dúzia deles.

— O que eles são? Currais de ovelhas?

— Não, são a morada de nossos dignos antepassados. O homem pré-histórico povoou a charneca, e como ninguém em particular viveu ali desde então, é possível encontrar seus pequenos arranjos exatamente como foram deixados. Aquelas ali são suas cabanas sem os telhados. É possível ver até a lareira e a cama, se você tiver a curiosidade de entrar.

— Mas é uma cidade e tanto. Quando foi habitada?

— Homem do período neolítico. Não há data.

— O que ele fazia?

— Pastoreava seu rebanho nestas encostas, e aprendeu a escavar à procura de estanho quando a espada de bronze começou a sobrepujar o machado de pedra. Olhe aquela grande trincheira no morro oposto. Essa é a sua marca. Sim, o senhor encontrará alguns pontos muito singulares na charneca, Dr. Watson. Oh, desculpe-me um instante! Certamente é uma Cyclopides.

Uma pequena mosca ou mariposa percorreu nosso caminho e, em um instante, Stapleton corria com extraordinária energia e velocidade em seu encalço. Para minha aflição, a criatura voou direto para o grande charco, mas meu conhecido não hesitou por um momento sequer, e seguiu a saltar de moita em moita atrás dela, agitando sua rede verde no ar. Sua roupa cinza e seu progresso irregular, aos arrancos e em zigue-zague, faziam-no parecer uma enorme mariposa. Parado, eu assistia a essa perseguição com uma mistura de admiração por sua extraordinária energia e medo de ele se perder no charco traiçoeiro. Ouvi o som de passos e, ao me virar, avistei uma mulher perto de mim na trilha. Ela tinha vindo da direção em que a fumaça indicava a posição da Casa Merripit, mas a depressão da charneca me impedira de avistá-la até estar bem perto.

Não havia dúvidas de que aquela era a Srta. Stapleton, de quem me haviam falado, pois senhoras de qualquer espécie devem ser poucas na charneca, e lembro-me de ter ouvido alguém descrevê-la como uma beldade. A mulher que se aproximou de mim era certamente muito bonita, e de um tipo incomum. Não podia ter um contraste maior entre irmão e irmã, pois Stapleton tinha um colorido neutro, com cabelo claro e olhos cinza, ao passo que ela era mais escura que qualquer morena que já vi na Inglaterra, e magra, elegante e alta. Sua expressão era altiva e tinha um rosto finamente talhado, tão regular que podia parecer impassível, não fosse pela boca sensível e os lindos e irrequietos olhos escuros. Com sua figura perfeita e vestido elegante, ela era, de fato, uma estranha aparição na solitária trilha da charneca. Ela fitava o irmão atentamente quando me virei, e então ela se pôs a caminhar em minha direção. Ergui o chapéu e estava prestes a me apresentar quando suas próprias palavras desviaram todos os meus pensamentos para uma nova direção.

— Volte! — disse ela. — Volte direto para Londres! Volte imediatamente.

Não pude evitar de olhar para ela, totalmente surpreso. Seus olhos luziam e ela batia no chão impacientemente com o pé.

— Por que eu deveria voltar? — indaguei.

— Eu não posso explicar. — Ela disse isso com uma voz baixa e ansiosa, balbuciante. — Mas, pelo amor de Deus, faça o que eu estou lhe pedindo. Volte e nunca mais pise na charneca.

— Mas eu acabei de chegar.

— Ah! Meu Deus! — exclamou ela. — Você não percebe quando um aviso é para o seu próprio bem? Volte para Londres! Hoje à noite! Afaste-se deste lugar a qualquer custo! Silêncio, meu irmão está chegando! Nem uma palavra do que eu disse. Você se importaria de pegar aquela orquídea para mim, aquela que está bem ali adiante? Temos uma profusão de orquídeas na charneca, embora, é claro, o senhor tenha chegado muito tarde para ver as belezas do lugar.

Stapleton tinha abandonado a perseguição e voltou para nós respirando com dificuldade e com o rosto vermelho por conta de seus esforços.

— Olá, Beryl! — cumprimentou-a, e pareceu-me que o tom de sua saudação não era de todo cordial.

— Bem, Jack, você parece estar acalorado.

— Sim, eu estava perseguindo uma Cyclopides. Ela é muito rara e dificilmente encontrada no fim do outono. Que pena que eu a perdi! — Ele falou despreocupadamente, mas seus pequenos olhos claros olhavam incessantemente da mulher para mim. — Vocês se apresentaram, eu posso ver.

— Sim. Eu estava dizendo a Sir Henry que ele chegou tarde para apreciar as verdadeiras belezas da charneca.

— Ora, quem você acha que ele é?

— Acredito que ele seja Sir Henry Baskerville.

— Não, não — disse eu. — Sou apenas um plebeu humilde, mas amigo dele. Meu nome é Dr. Watson.

Um rubor de vexação passou por seu rosto expressivo.

— Tivemos uma conversa confusa — disse ela.

— Ora, mas não tiveram muito tempo para conversar — observou o irmão com um olhar inquisitivo.

— Conversei com o Dr. Watson como se ele fosse um residente, em vez de ser apenas um visitante — disse ela. — Não será de muita importância a ele que seja cedo ou tarde para ver as orquídeas. Mas você vem até a Casa Merripit, não vem?

Uma curta caminhada nos levou a ela, uma sombria casa mourisca, outrora a fazenda de algum criador de gado nos tempos de prosperidade, mas agora reformada e transformada em uma residência moderna. Um pomar a rodeava, mas as árvores, como habitual na charneca, eram raquíticas e mirradas, e o efeito de todo o lugar era rude e melancólico. Fomos recebidos por um criado velho, estranho, coberto de rugas e trajando em um casaco cor de ferrugem que parecia combinar com a casa. No interior, no entanto, havia grandes salas mobiliadas com uma elegância em que eu parecia reconhecer o gosto da senhora. Quando olhei de suas janelas para a interminável charneca salpicada de granito que avançava ininterrupta até o horizonte mais distante, não pude deixar de me maravilhar com o que poderia ter levado esse homem altamente instruído e essa linda mulher a viverem em tal lugar.

— Lugar estranho para se escolher, não é? — perguntou ele como se respondesse ao meu pensamento. — E ainda assim conseguimos ser bastante felizes aqui, não é mesmo, Beryl?

— Muito felizes — respondeu ela, mas não havia convicção em suas palavras.

— Eu tive uma escola — contou Stapleton. — Ficava no norte do país. O trabalho, para um homem do meu temperamento, era mecânico e desinteressante, mas o privilégio de conviver com jovens, de ajudar a moldar suas mentes joviais e de influenciá-las com seu próprio caráter e ideais me era muito caro. No entanto, o destino estava contra nós. Uma grave epidemia estourou na escola e três meninos morreram. Nunca me recuperei do golpe, e muito do meu capital foi irremediavelmente perdido. E, no entanto, se não fosse pela perda da agradável companhia dos meninos, eu poderia me regozijar com o meu próprio infortúnio, pois, com meus fortes gostos de botânica e zoologia, encontro aqui um campo ilimitado de trabalho, e minha irmã é tão dedicada à natureza quanto eu. Digo tudo isso, Dr. Watson, por conta da expressão com que contemplou a charneca pela janela.

— Certamente passou pela minha cabeça que poderia ser um pouco monótono... menos para o senhor, talvez, do que para sua irmã.

— Não, não, eu nunca acho monótono — replicou ela rapidamente. — Temos livros, temos nossos estudos e temos vizinhos interessantes. O Dr. Mortimer é um homem muito culto em sua área. O pobre Sir Charles também era um companheiro admirável. Nós o conhecíamos bem e sentimos a falta dele mais do que eu posso expressar. Acha que seria indiscreto se eu fosse visitar Sir Henry hoje à tarde para conhecê-lo?

— Tenho certeza de que ele ficará encantado.

— Então, talvez você pudesse mencionar minha intenção a ele. Talvez possamos, de uma maneira humilde, fazer algo para facilitar as coisas para ele, até que se acostume com o novo ambiente. Quer subir, Dr. Watson, e ver minha coleção de Lepidoptera? Acho que é a mais completa no sudoeste da Inglaterra. Quando você acabar de examiná-la, o almoço estará quase pronto.

Mas eu estava ansioso para voltar ao meu posto. A melancolia da charneca, a morte do pônei infeliz, o som estranho que fora associado à lenda sombria dos Baskerville, todas essas coisas conferiam um toque de tristeza aos meus pensamentos. Então, no topo dessas impressões mais ou menos vagas, estava a advertência clara e distinta da Srta. Stapleton, proferida com tanta sinceridade que não pude duvidar de que alguma razão séria e profunda estivesse por trás dela. Recusei todos os convites insistentes para ficar para o almoço, e parti imediatamente na minha viagem de volta, tomando o caminho de grama por onde tínhamos vindo.

Parecia, no entanto, que devia ter algum atalho para aqueles que conheciam o local, pois antes de eu ter chegado à estrada, fiquei surpreso ao ver a Srta. Stapleton sentada em cima de uma pedra ao lado da trilha. Seu rosto estava lindamente corado com seus esforços e ela estava com a mão em seu colo.

— Eu corri todo o caminho a fim de interceptá-lo, Dr. Watson — disse-me ela. — Nem tive tempo de colocar meu chapéu. Eu não posso me demorar, ou meu irmão pode notar minha ausência. Eu queria dizer a você como lamento pelo estúpido erro que cometi ao pensar que o senhor era Sir Henry. Por favor, esqueça as palavras que eu disse, pois não se aplicam ao senhor.

— Mas eu não posso esquecê-las, Srta. Stapleton — repliquei. — Sou amigo de Sir Henry, e seu bem-estar é uma grande preocupação para mim. Diga-me por que você estava tão ansiosa para que Sir Henry voltasse para Londres.

— Capricho de uma mulher, Dr. Watson. Quando me conhecer melhor, entenderá que nem sempre posso dar razões para o que digo ou faço.

— Não, não. Eu me lembro da emoção na sua voz. Lembro-me do seu olhar. Por favor, seja franca comigo, Srta. Stapleton, pois desde que estou aqui, tenho consciência de sombras ao meu redor. A vida tornou-se como aquele grande charco de Grimpen, com pequenas manchas verdes por toda parte, nas quais se pode afundar, sem um guia para apontar a trilha. Diga-me então o que você quis dizer e prometo transmitir sua advertência para Sir Henry.

Uma expressão de indecisão trespassou seu rosto por um instante, mas seus olhos se endureceram novamente quando ela me respondeu.

— Você está dando demasiada importância a tudo isso, Dr. Watson — disse ela. — Meu irmão e eu ficamos muito chocados com a morte de Sir Charles. Nós o conhecíamos muito intimamente, pois a sua caminhada favorita era pela charneca até a nossa casa. Ele ficou profundamente impressionado com a maldição que pairava sobre a sua família e, quando veio essa tragédia, naturalmente senti que devia haver algum fundamento para seus medos. Fiquei angustiada, portanto, quando outro membro da família veio morar aqui, e senti que ele deveria ser advertido sobre o perigo que poderia estar correndo. Isso foi tudo o que eu pretendia transmitir.

— Mas qual é o perigo?

— O senhor conhece a história do cão?

— Eu não acredito em tal absurdo.

— Mas eu, sim. Se o senhor exerce alguma influência sobre Sir Henry, leve-o para longe de um lugar que sempre foi fatal para sua família. O mundo é grande. Por que ele desejaria morar em um lugar perigoso?

— Porque é um lugar perigoso. Essa é a natureza de Sir Henry. Temo que, a menos que possa me dar alguma informação mais precisa que esta, vá ser impossível convencê-lo a ir embora.

— Eu não posso dizer nada de preciso, pois não sei nada de preciso.

— Vou lhe fazer mais uma pergunta, Srta. Stapleton. Se não tinha a intenção de revelar mais do que isso quando falou comigo pela primeira vez, por que não desejaria que seu irmão ouvisse a nossa conversa? Não há nada a que ele ou qualquer outra pessoa possa se opor.

— Meu irmão está muito ansioso para ver o Solar habitado, pois acha que é para o bem dos pobres da região. Ele ficaria muito zangado se soubesse que eu disse qualquer coisa que pudesse induzir Sir Henry a ir embora. Mas já cumpri meu dever e agora não direi mais nada. Preciso voltar ou ele sentirá minha falta e suspeitará que eu tenha vindo me encontrar com o senhor. Adeus!

Ela se virou e desapareceu em poucos minutos entre os penedos esparsos, enquanto eu, com a alma apinhada de temores, segui em direção ao Solar Baskerville.

CAPÍTULO VIII

Primeiro relatório do Dr. Watson

Deste ponto em diante, seguirei o curso dos acontecimentos, transcrevendo minhas cartas para Sr. Sherlock Holmes, que estão na mesa à minha frente. Falta uma página, mas, exceto isso, elas estão exatamente como foram escritas e revelam meus sentimentos e desconfianças do momento mais do que minha memória desses eventos trágicos, por mais clara que seja, o poderia fazer.

Solar Baskerville, 13 de outubro.

Meu caro Holmes,

Minhas cartas e telegramas anteriores o mantiveram bastante atualizado quanto a tudo o que tem ocorrido nesse canto do mundo tão esquecido por Deus. Quanto mais tempo ficamos aqui, mais o espírito da charneca, sua vastidão e seu encanto sombrio se afunda na nossa alma. Quando você está bem em seu seio, deixa para trás todos os vestígios da moderna Inglaterra, mas, por outro lado, tomamos consciência em todos os lugares das moradas e do trabalho do povo pré-histórico. Por onde quer que se ande, avistamos as moradas dessa gente esquecida, com seus túmulos e os enormes monólitos que supostamente marcam seus templos. Quando se olha para as cabanas de pedra cinzenta contra as encostas escarpadas das colinas, deixamos nosso próprio tempo para trás, e se víssemos um homem peludo trajando peles, saindo da porta baixa, empunhando um arco e flecha, sua presença seria mais natural que a nossa própria. O estranho é que tenham vivido em tão grande número sobre o que sempre deve ter sido um solo dos mais insólitos. Não sou um estudioso de coisas antigas, mas imagino que eles eram despojados e pacíficos, e que foram obrigados a aceitar terras que ninguém mais ocuparia.

Tudo isso, no entanto, nada tem a ver com a missão a qual você me incumbiu e é provável que não desperte interesse à sua mente extremamente prática. Ainda me lembro de sua total indiferença quanto ao fato de o Sol se move em volta da Terra ou da Terra em torno do Sol. Permita-me, portanto, retornar aos fatos relativos a Sir Henry Baskerville.

Se você não recebeu nenhum relato nos últimos dias, foi porque até hoje não tive nada importante para narrar. Então, ocorreu uma circunstância muito surpreendente, que eu lhe contarei no devido tempo. Mas, em primeiro lugar, devo colocá-lo a par de alguns outros fatores na situação.

Um desses, sobre o qual pouco falei, é o prisioneiro fugitivo na charneca. Há um forte motivo para se acreditar que ele fugiu e foi embora, o que é um alívio considerável para os proprietários solitários deste distrito. Uma quinzena se passou desde a sua fuga, e ele não mais foi visto e nada mais foi ouvido sobre ele. É certamente inconcebível que ele pudesse ter resistido na charneca durante todo esse tempo. É claro que ele não teria tido absolutamente nenhuma dificuldade para se esconder. Qualquer uma dessas cabanas de pedra lhe daria um ótimo esconderijo. Mas não há nada para comer a menos que ele capturasse e abatesse uma das ovelhas da charneca. Pensamos, portanto, que ele foi embora, e os donos das fazendas distantes têm dormido muito mais tranquilos.

Somos quatro homens robustos nesta casa, então podemos cuidar muito bem de nós mesmos, mas confesso que tenho ficado apreensivo ao pensar nos Stapleton. Eles vivem a quilômetros de distância de qualquer ajuda. Lá moram uma criada e um velho empregado, e os dois irmãos, sendo que o naturalista não é um homem muito forte. Eles estariam perdidos nas mãos de um sujeito desesperado como esse criminoso de Notting Hill, caso ele conseguisse entrar lá. Sir Henry e eu estávamos preocupados com a situação deles, e sugeriu-se que Perkins, o cavalariço, fosse dormir lá, mas Stapleton não quis nem ouvir falar disso.

O CÃO DOS BASKERVILLE

A verdade é que nosso amigo, o baronete, começa a demonstrar um interesse considerável pela nossa linda vizinha. Não é de se admirar, pois o tempo custa a passar neste local solitário para um homem ativo como ele, e ela é uma mulher muito fascinante e bonita. Tem algo tropical e exótico nela que forma um contraste singular ao seu irmão frio e sem emoção. Apesar disso, ele também parece ocultar um temperamento inflamável. Ele certamente tem uma influência muito forte sobre ela, pois a vejo olhando-o continuamente enquanto fala como se procurasse sua aprovação para o que diz. Espero que ele seja gentil com ela. Há um brilho seco nos olhos dele, e uma dureza em seus lábios finos, que indicam uma natureza pragmática e possivelmente severa. Você o consideraria um objeto de estudo interessante.

Ele veio visitar Baskerville naquele primeiro dia, e na manhã seguinte nos levou para nos mostrar o local onde a lenda do perverso Hugo deve ter tido sua origem. Foi uma excursão de alguns quilômetros através da charneca até um lugar tão lúgubre que poderia ter sugerido a história. Encontramos um curto vale entre penhascos irregulares que levava a um espaço relvado aberto salpicado com plantas brancas. No meio dele erguem-se duas grandes pedras, desgastadas e afiadas na extremidade superior, que parecerem enormes presas corroídas de alguma fera monstruosa. Em todos os sentidos, corresponde à cena da velha tragédia. Sir Henry ficou muito interessado e mais de uma vez perguntou a Stapleton se realmente acreditava na possibilidade da interferência do sobrenatural nos assuntos dos homens. Ele falou com indiferença, mas era evidente que levava aquilo a sério. Stapleton respondia com cautela, mas era fácil ver que ele dizia menos do que poderia, e que não expressava toda a sua opinião por consideração aos sentimentos do baronete. Ele nos contou sobre casos semelhantes, em que famílias sofriam de alguma influência maligna, e nos deixou com a impressão de que compartilhava da visão popular sobre o assunto.

No caminho de volta, paramos para almoçar na Casa Merripit e foi lá que Sir Henry conheceu a Srta. Stapleton. Desde o primeiro momento em que a viu, ele pareceu ficar profundamente atraído por ela, e, se não estou enganado, o sentimento foi recíproco. Ele se referiu a ela de novo e de novo em nossa caminhada de volta para casa, e desde então quase não se passou um dia que não tenhamos visto o irmão ou a irmã. Eles vêm jantar aqui esta noite, e vamos jantar com eles na semana que vem. Seria de imaginar que um casamento como esse seria muito bem-vindo a Stapleton, e, no entanto, mais de uma vez captei um olhar de profunda reprovação em sua face, quando Sir Henry dava alguma atenção maior a sua irmã. Não há dúvida de que o irmão é muito ligado à donzela, e levaria uma vida solitária sem ela, mas acredito que seria o auge do egoísmo se ele ficasse no caminho dela impedindo-a de fazer um casamento tão brilhante. No entanto, tenho certeza de que ele não deseja que a intimidade dos dois amadureça em amor, e observei várias vezes que ele se esforça para impedi-los de ficar tête-à-tête. A propósito, suas instruções a respeito de que eu nunca permita que Sir Henry saia sozinho se tornarão muito mais difíceis de cumprir se um caso de amor for acrescentado às nossas outras dificuldades. Minha popularidade sofreria se eu cumprisse suas ordens ao pé da letra.

Outro dia, quinta-feira, para ser mais preciso, o Dr. Mortimer almoçou conosco. Esteve escavando um túmulo em Long Down e encontrou um crânio pré-histórico que o enche de grande alegria. Nunca houve um entusiasta tão sincero quanto ele! Os Stapleton vieram depois, e o bom doutor levou-nos a todos à Aleia dos Teixos, a pedido de Sir Henry, para nos mostrar exatamente como tudo ocorreu naquela noite fatal. É um longo e triste passeio, a Aleia dos Teixos, entre duas altas paredes de sebe, com uma estreita faixa de grama de cada lado. No outro extremo, há uma velho chalé de verão em ruínas. Na metade do caminho fica o portão da charneca, onde o velho cavalheiro deixou cair a cinza de seu charuto. É um portão de madeira branca com um trinco. Além disso, fica a longa charneca. Lembrei-me da sua teoria a respeito do caso e tentei imaginar tudo o que ocorrera. Quando o velho ficou ali, viu algo atravessando a charneca, algo que o aterrorizou a ponto de ele perder o juízo e correr em disparada até morrer de puro horror e exaustão. Lá estava o longo e escuro corredor por onde ele fugiu. Mas do quê? De um cão pastor da charneca? Ou um cão espectral, negro, silencioso e monstruoso? Teria havido interferência humana no assunto? O pálido e vigilante Barrymore saberia mais do que revelara? Tudo era confuso e vago, mas a sombra escura do crime estava sempre por trás.

Conheci outro vizinho desde que lhe escrevi na última vez. O Sr. Frankland, do Solar Lafter, que mora cerca de seis quilômetros ao sul de nós. Ele é um homem idoso, de rosto vermelho, cabelos brancos e colérico. Tem paixão pela lei britânica e gastou uma grande fortuna em litígios. Ele luta pelo mero prazer de lutar e está igualmente pronto para assumir um dos lados de uma questão, de modo que não é de se admirar que ele tenha achado uma diversão cara. Às vezes, ele fecha uma determinada passagem e desafia a paróquia a fazê-lo abrir. Outras vezes, com as próprias mãos, ele derruba o portão de outro homem e declara que sempre tinha existido um caminho ali, e desafia o proprietário a processá-lo por transgressão. Ele é versado em antigos direitos senhoriais e comunais, e aplica seus conhecimentos por vezes em favor dos aldeões de Fernworthy, por vezes contra eles, de modo que é periodicamente ou carregado em triunfo pela rua da aldeia ou queimado em efígie, conforme sua mais recente façanha. Diz-se que ele tem cerca de sete ações judiciais em suas mãos no momento, o que provavelmente vai engolir o resto de sua fortuna e assim vai arrancar o seu ferrão e deixá-lo inofensivo para o futuro. Afora a predileção pelas leis, ele me parece uma pessoa gentil e bem-humorada, e só o mencionei porque você insistiu que eu mandasse uma descrição das pessoas que nos cercam. Atualmente, ele se dedica a uma curiosa ocupação, pois, sendo um astrônomo amador, ele tem um telescópio excelente, com o qual ele se deita no telhado de sua própria casa e varre a charneca o dia todo na esperança de ter um vislumbre do prisioneiro que escapou. Se ele confinasse suas energias nisso, tudo estaria bem, mas há rumores de que ele pretende processar o Dr. Mortimer por ter aberto uma sepultura sem o consentimento do parente mais próximo do falecido, porque desenterrou o crânio neolítico em um túmulo em Long Down. Ele ajuda a manter nossas vidas longe da monotonia e nos proporciona um pequeno e muito necessário alívio cômico.

E agora, depois de tê-lo atualizado a respeito do prisioneiro fugitivo, dos Stapleton, do Dr. Mortimer e de Frankland, do Solar Lafter, deixe-me terminar com o que é mais importante e falar mais sobre os Barrymore, e especialmente sobre o surpreendente desenvolvimento da noite passada.

Primeiro, sobre o telegrama que você enviou de Londres como teste, para se certificar de que Barrymore estava realmente aqui. Já expliquei que o testemunho do agente do correio provou que o teste não tinha valor e que não temos provas de uma forma ou de outra.

Eu contei para Sir Henry como estava a questão, e ele imediatamente, à sua maneira direta, chamou Barrymore e perguntou se ele próprio recebera o telegrama. Barrymore respondeu que sim.

— O menino entregou o telegrama em suas próprias mãos? — perguntou Sir Henry.

Barrymore pareceu surpreso e refletiu por um tempo.

— Não — respondeu. — Eu estava no sótão, e minha esposa o levou para mim.

— Você mesmo o respondeu?

— Não. Eu disse à minha esposa o que responder e ela desceu para escrever.

À noite, ele retornou ao assunto por conta própria.

— Não consegui entender completamente o objeto de suas perguntas esta manhã, Sir Henry — disse ele. — Espero que elas não significam que eu fiz algo para perder sua confiança.

Sir Henry teve que assegurar-lhe que não para acalmá-lo, dando-lhe uma parte considerável de seu antigo guarda-roupa, uma vez que as roupas de Londres chegaram.

A Sra. Barrymore é de interesse para mim. Ela é uma pessoa pesadona e sólida, muito limitada, intensamente respeitável e inclinada a ser puritana. Seria difícil conceber alguém menos emotivo. No entanto, já lhe contei como, na primeira noite aqui, ouvi-a soluçar amargamente e, desde então, observei mais de uma vez traços de lágrimas em seu rosto. Alguma dor profunda está sempre atormentando o seu coração. Às vezes me pergunto se a lembrança de alguma culpa a persegue, e às vezes suspeito que Barrymore seja um tirano doméstico. Sempre tive a impressão de que havia algo singular e questionável no caráter desse homem, mas a aventura da noite passada concretizam todas as minhas suspeitas.

Isso pode parecer, contudo, um assunto pouco importante em si mesmo. Você sabe que não tenho o sono muito profundo, e desde que estou de guarda aqui nesta casa meu sono tem sido ainda mais leve. Ontem à noite, por volta das duas horas da manhã, fui despertado por um passo furtivo passando pelo meu quarto. Eu me levantei, abri a porta e espiei. Uma longa sombra negra percorria o corredor. Era projetada por um homem que caminhava suavemente pelo corredor com uma vela na mão. Ele estava de camisa e calças, e sem sapatos. Pude discernir apenas seu contorno, mas sua altura me dizia que era Barrymore. Andava de um modo devagar e circunspecto, e tinha algo indescritivelmente culpado e dissimulado em toda a sua atitude.

Já lhe contei que o corredor é interrompido pela galeria que contorna o salão, mas recomeça do outro lado. Esperei até que ele tivesse desaparecido e então o segui. Quando cheguei à galeria, ele chegara à extremidade do outro corredor, e pude ver pela luz fraca através de uma porta aberta que ele tinha entrado em um dos quartos. Bom, todos esses quartos estão desocupados e sem mobília, de modo que sua expedição se tornou ainda mais misteriosa. A luz brilhava firmemente, como se ele estivesse imóvel. Eu me esgueirei pela passagem o mais silenciosamente que pude e espiei pelo canto da porta.

Barrymore estava agachado perto da janela, segurando a vela contra a vidraça. Seu perfil estava meio virado para mim, e seu rosto parecia estar rígido de expectativa enquanto olhava para a escuridão da charneca. Por alguns minutos, ele ficou observando atentamente. Então, soltou um profundo gemido e, com um gesto impaciente, apagou a chama da vela. Imediatamente voltei para o meu quarto e, logo depois, ouvi novamente os passos rápidos, em seu trajeto de volta. Muito tempo depois, quando caí em um sono leve, ouvi uma chave girando em uma fechadura em algum lugar, mas não pude distinguir de onde vinha o som. O que tudo isso significa, eu não posso adivinhar, mas tem algo secreto acontecendo nesta casa sombria que, mais cedo ou mais tarde, vamos descobrir. Não quero incomodá-lo com minhas teorias, porque você me pediu para lhe fornecer apenas fatos. Tive uma longa conversa com Sir Henry esta manhã e fizemos um plano baseado em minhas observações da noite anterior. Não vou falar sobre ele agora, mas creio que tornará o meu próximo relatório uma leitura interessante.

CAPÍTULO IX

A luz sobre a charneca

(SEGUNDO RELATÓRIO DO DR. WATSON)

Solar Baskerville, 15 de outubro.

Meu caro Holmes,

Se fui obrigado a deixá-lo sem muitas notícias durante os primeiros dias de minha missão, você deve reconhecer que estou compensando o tempo perdido e que os eventos agora estão se acumulando rapidamente sobre nós. Meu último relatório terminou com o clímax de Barrymore à janela, e agora já tenho um verdadeiro sortimento que, ou muito me engano, muito o surpreenderá. As coisas tomaram um rumo que eu não poderia ter antecipado. De certa forma, nas últimas quarenta e oito horas, tudo se tornou mais claro e, em outros pontos, mais complicado. Mas vou lhe contar tudo, e você julgará por si mesmo.

Antes do desjejum no dia seguinte à minha aventura, desci o corredor e examinei o quarto em que Barrymore estivera na noite anterior. Percebi que a janela oeste, pela qual ele olhava tão atentamente, apresenta uma peculiaridade que a distingue de todas as outras janelas da casa: ela domina a vista mais próxima da charneca. Uma abertura entre duas árvores permite que qualquer pessoa desse ponto de vista olhe diretamente para baixo, ao passo que de todas as outras janelas é apenas um vislumbre distante que se pode ser obtido. Portanto, conclui-se que Barrymore, uma vez que apenas essa janela serviria ao propósito, devia estar procurando na charneca algo ou alguém. A noite estava muito escura, de modo que mal posso imaginar como ele podia esperar ver alguém. Ocorreu-me que talvez uma intriga amorosa estivesse em andamento. Isso seria a explicação de seus movimentos furtivos e também do desconforto de sua esposa. O homem é um sujeito de uma excelente e impressionante aparência, muito bem equipado para roubar o coração de uma camponesa, de modo que essa teoria parece ter algum embasamento. Aquela abertura da porta que eu ouvira depois de voltar para o meu quarto podia significar que ele tinha saído para algum encontro clandestino. Foi assim que raciocinei comigo mesmo de manhã, e conto-lhe a razão de minhas suspeitas, por mais que o resultado possa ter provado que elas eram infundadas.

Mas seja qual for a verdadeira explicação dos movimentos de Barrymore, senti a responsabilidade de mantê-la para mim até conseguir explicá-la, apesar de ser mais do que eu possa suportar. Tive uma conversa com o baronete em seu escritório depois do desjejum, e contei a ele tudo o que tinha visto. Ele ficou menos surpreso do que eu esperava.

— Eu já sabia que Barrymore perambulava durante a noite e tive vontade de falar com ele sobre isso — disse ele. — Duas ou três vezes ouvi seus passos no corredor, indo e vindo, quase exatamente na hora que você menciona.

— Talvez então ele faça uma visita todas as noites àquela janela em particular — sugeri.

— Talvez ele faça. Se assim for, poderíamos segui-lo e ver o que ele procura. Eu me pergunto o que seu amigo Holmes faria, se ele estivesse aqui.

— Creio que faria exatamente o que você sugere — disse eu. — Ele seguiria Barrymore para ver o que ele procura.

— Então vamos fazer isso juntos.

— Mas certamente ele vai nos ouvir.

— O homem é um pouco surdo e, em todo caso, temos que nos arriscar. Ficaremos em meu quarto esta noite e esperaremos até que ele saia.

Sir Henry esfregou as mãos com prazer, e era evidente que ele considerava a aventura como um alívio para sua vida um tanto monótona na charneca.

O baronete entrou em contato com o arquiteto que preparou as plantas para Sir Charles e com um empreiteiro de Londres, então acredito que possamos esperar que grandes mudanças aconteçam por aqui em breve. Vieram decoradores e tapeceiros de Plymouth, e é evidente que nosso amigo tem grandes ideias e meios para não poupar esforços ou despesas para restaurar a grandeza de sua família. Quando a casa estiver renovada e remodelada, ele precisará de uma esposa para torná-la completa. Cá entre nós, existem sinais bastante claros de que a procura não será necessária se a dama estiver disposta, pois raramente vi um homem mais apaixonado por uma mulher do que Sir Henry pela nossa bela vizinha, a Srta. Stapleton. E, no entanto, o caminho do amor verdadeiro não corre tão suavemente quanto se esperaria nas circunstâncias. Hoje, por exemplo, sua superfície foi agitada por uma ondulação muito inesperada, que causou ao nosso amigo considerável perplexidade e aborrecimento.

Depois da conversa sobre Barrymore, que já lhe contei, Sir Henry colocou seu chapéu e se preparou para sair. Naturalmente, fiz o mesmo.

— Ora, você também vem, Watson? — perguntou, lançando-me um olhar curioso.

— Isso depende de o senhor estar indo ou não para a charneca — respondi.

— Sim, eu estou.

— Bem, você sabe quais foram as minhas instruções. Lamento me intrometer, mas ouviu a seriedade com que Holmes insistiu em que eu não deveria deixá-lo sair sozinho, especialmente à charneca.

Sir Henry colocou a mão no meu ombro com um sorriso agradável.

— Meu caro amigo — disse ele. — Holmes, com toda a sua sabedoria, não previu algumas coisas que aconteceram desde que aqui cheguei. Você me entende? Tenho certeza de que você é o último homem do mundo que gostaria de ser um desmancha-prazeres. Preciso ir sozinho.

Isso me colocou em uma posição muito desconfortável. Eu estava sem saber o que dizer ou fazer, e, antes de me decidir, ele pegou a bengala e foi embora.

Quando refleti sobre o assunto, porém, minha consciência me censurou severamente por ter, sob qualquer pretexto, permitido que ele sumisse da minha vista. Eu imaginava quais seriam os meus sentimentos se tivesse que voltar para você e confessar que alguma desgraça ocorrera por conta do meu desrespeito às suas instruções. Garanto-lhe que as minhas bochechas ficaram coradas com esse pensamento. Talvez não fosse tarde demais para alcançá-lo, então parti imediatamente em direção à Casa Merripit.

Corri ao longo da estrada, o mais depressa que podia, sem ver nenhum sinal de Sir Henry, até chegar ao ponto em que o caminho da charneca se ramifica. Ali, temendo que, afinal de contas, eu tivesse tomado a direção errada, subi em uma colina de onde podia ter uma visão ampla, a mesma colina que é cortada na pedreira escura. Vi-o imediatamente. Ele estava na trilha da charneca, a uns quatrocentos metros de distância, e ao seu lado havia uma dama que só podia ser a Srta. Stapleton. Era evidente que já tinha um entendimento entre eles e que estavam se encontrando com hora marcada. Caminhavam devagar, muito entretidos na conversa, e eu a vi fazendo pequenos movimentos rápidos com suas mãos como se falasse muito sério, enquanto ele ouvia atentamente, e uma ou duas vezes meneou a cabeça em discordância. Fiquei entre as rochas observando-os, muito intrigado com o que deveria fazer em seguida.

Segui-los e interromper sua conversa íntima parecia uma afronta, mas meu dever era claramente não perdê-lo de vista por um só instante. Espiar um amigo era uma tarefa odiosa. Apesar disso, não me ocorria alternativa melhor que observá-lo da colina, e depois limpar minha consciência confessando-lhe o que tinha feito. É verdade que se algum perigo repentino o ameaçasse eu estava longe demais para ser útil, mas você há de concordar que era uma situação muito delicada, não havendo mais nada que eu pudesse fazer.

Nosso amigo Sir Henry e a dama tinham parado na trilha e estavam profundamente absortos em sua conversa, quando de repente percebi que eu não era a única testemunha. Uma mancha verde flutuando no ar chamou minha atenção, e logo notei que estava presa a uma vara carregada por um homem que se movia pelo terreno acidentado. Era Stapleton com sua rede de borboletas. Ele estava muito mais perto dos dois do que eu e parecia seguir na direção deles. Nesse momento, Sir Henry subitamente puxou a Srta. Stapleton para o seu lado. Envolveu-a com um dos braços, mas pareceu-me que ela tentava se afastar dele e desviava o rosto. Ele inclinou seu rosto sobre o dela, mas a moça ergueu a mão, como se estivesse protestando. No instante seguinte, vi-os se separarem de súbito e se virarem às pressas. Stapleton fora a causa da interrupção. Ele estava correndo descontroladamente em direção a eles, sua rede esvoaçando atrás de si. Ele gesticulava e quase dançou, tamanha era sua alteração diante do casal. Não fui capaz de imaginar o significado daquela cena, mas tive a impressão de que Stapleton ofendia Sir Henry enquanto este oferecia explicações, que se tornaram mais exaltadas à medida que o outro se recusava a aceitá-las. A Srta. Stapleton permanecia de lado em um silêncio altivo. Finalmente, Stapleton virou-se e acenou de um jeito peremptório para a irmã, que, depois de um olhar indeciso para Sir Henry, partiu ao lado do irmão. Os gestos furiosos do naturalista mostraram que a dama estava incluída em seu descontentamento. O baronete ficou parado por um minuto, olhando para eles, e então caminhou lentamente de volta pela trilha que ele tinha percorrido, a cabeça caída, a própria imagem do abatimento.

O significado de tudo isso eu não podia imaginar, mas estava profundamente envergonhado por ter assistido a uma cena tão íntima sem que meu amigo soubesse. Corri colina abaixo e encontrei o baronete ao sopé. Seu rosto estava vermelho de raiva e a testa, franzida, como uma pessoa que não tem a menor ideia do que fazer.

— Olá, Watson! De onde você saiu? — perguntou. — Não me diga que veio atrás de mim apesar de tudo?

Expliquei tudo a ele: como eu achara impossível permanecer para trás, como o havia seguido e como testemunhara tudo o que tinha acontecido. Por um instante, seus olhos faiscaram para mim, mas minha franqueza desarmou sua raiva, e ele finalmente deu uma risada bastante triste.

— Era de se esperar que o meio da pradaria fosse um lugar bastante seguro para um homem gozar de intimidade — disse ele. — Mas, que diabo, parece que a região inteira saiu para me ver cortejando uma dama... e um cortejo que não deu certo! Onde você estava escondido?

— Eu estava naquela colina.

— Bem na fila de trás, certo? Mas o irmão dela estava bem na frente. Você o viu se aproximar de nós?

— Sim, eu vi.

— Alguma vez lhe ocorreu que ele pode ser louco... esse irmão dela?

— Não posso dizer que sim.

— Certamente não. Eu também o julgava bastante são de espírito até hoje, mas acredite quando digo que ele ou eu devia estar em uma camisa de força. Qual é o problema comigo, de qualquer forma? Você está morando perto de mim há algumas semanas, Watson. Diga-me honestamente agora! Existe alguma coisa que me impeça de ser um bom marido para uma mulher que eu amo?

— Eu diria que não.

— Como ele não pode se opor à minha posição social, acredito que deve ser de mim mesmo que ele se ressente. O que ele tem contra mim? Até onde sei, nunca machuquei homem ou mulher em minha vida. E, no entanto, ele não me deixa tocar nas pontas dos dedos da irmã.

— Ele disse isso?

— Isso e muito mais. Eu lhe digo, Watson, eu só a conheço há algumas semanas, mas desde o início eu senti que ela foi feita para mim, e ela... também parecia feliz em minha companhia, eu poderia jurar. Há uma luz nos olhos de uma mulher que fala mais alto que palavras. Mas ele nunca permitiu que nos aproximássemos, e só hoje, pela primeira vez, vi uma oportunidade de trocar algumas palavras a sós com ela. Ela estava contente por me encontrar, mas, quando chegou, não era de amor que queria falar, e não teria me deixado falar também, se tivesse podido impedir. Ficou repetindo que este era um lugar perigoso, e que nunca se sentiria feliz até que eu partisse. Respondi que, após vê-la, não tinha nenhuma pressa em ir embora, e que se ela realmente quisesse que eu me fosse, a única forma de conseguir isso seria ir comigo. Assim, propus com todas as letras para me casar com ela, mas antes que ela pudesse responder, surgiu aquele irmão dela, correndo em nossa direção como um louco. Ele estava lívido de raiva, seus olhos claros estavam ardendo em fúria. O que eu estava fazendo com a senhorita? Como me atrevi a oferecer-lhe atenções que eram desagradáveis para ela? Achava eu que, porque era um baronete, podia fazer o que bem entendesse? Se ele não fosse seu irmão, eu saberia como lhe responder. Quando lhe contei que meus sentimentos em relação à irmã eram tais que não me envergonhava deles, e que esperava que ela me desse à honra de se tornar minha esposa, isso pareceu não melhorar o assunto. Então, eu também perdi a paciência e respondi a ele de uma maneira mais acalorada do que deveria, considerando que ela estava ali ao lado. Assim terminou com ele indo embora com ela, como você viu, e aqui estou eu mais perplexo do que qualquer outro homem neste condado. Apenas me diga o que tudo isso significa, Watson, que ficarei lhe devendo mais do que jamais poderei lhe pagar.

Tentei fornecer uma ou duas explicações, mas, para ser sincero, também estava eu completamente intrigado. O título de nosso amigo, sua fortuna, sua idade, seu caráter e sua aparência, tudo está a seu favor, e eu não sei nada que o desabone, a menos que seja esse destino sombrio que corre em sua família. Que seus avanços devam ser rejeitados tão bruscamente, sem qualquer referência aos desejos da própria dama, e que a dama deva aceitar a situação sem protestar, é muito surpreendente. No entanto, nossas conjecturas foram aquietadas por uma visita do próprio Stapleton naquela mesma tarde. Ele tinha vindo pedir desculpas por sua grosseria da manhã, e depois de uma longa entrevista privada com Sir Henry em seu escritório, o desentendimento foi totalmente sanado e ficou combinado que jantaremos na Casa Merripit na próxima sexta-feira.

— Eu não digo agora que ele não é um homem louco — explicou-me Sir Henry. — Pois não posso esquecer seu olhar quando correu em minha direção esta manhã, mas devo admitir que nenhum homem podia fazer um pedido de desculpas mais bonito do que ele fez.

— Ele deu alguma explicação sobre sua conduta?

— A irmã é tudo em sua vida, ele diz. Isso é bastante natural, e fico feliz por ele reconhecer o valor dela. Eles sempre estiveram juntos e, de acordo com seu relato, ele tem sido um homem muito solitário, com apenas ela como companhia, de modo que a ideia de perdê-la é realmente terrível para ele. Disse que não percebera que eu estava me apegando a ela, mas quando viu com seus próprios olhos que era realmente assim, e que ela podia ser tirada dele, teve um choque tão grande que por um tempo ele não foi responsável pelo que disse ou fez. Confessou que sentia muito por tudo o que tinha acontecido, e reconheceu o quão tolo e egoísta ele é por imaginar que pode segurar uma mulher bonita como sua irmã por toda a sua vida. Se ela tinha que deixá-lo, ele preferia que fosse para um vizinho como eu do que para qualquer outra pessoa. Mas, em todo caso, foi um golpe para ele, e disse que levará algum tempo antes que esteja preparado para enfrentá-lo. Ele retiraria toda a oposição de sua parte se eu prometesse por três meses deixar o assunto descansar e me contentasse em cultivar a amizade da dama sem reivindicar seu amor. Isso eu prometi, e assim a questão repousa.

Então, um dos nossos pequenos mistérios foi esclarecido. Certamente é notável termos atingido o âmago de uma questão em meio a esse atoleiro em que nos encontramos. Sabemos agora por que Stapleton parecia desfavorável ao pretendente de sua irmã, mesmo quando esse pretendente é um homem tão aceitável quanto Sir Henry. E agora eu passo para outro fio que consegui desembaraçar, o mistério dos soluços à noite, do rosto manchado de lágrimas da Sra. Barrymore, da jornada secreta do mordomo para a janela de treliça na parte oeste da casa. Felicite-me, meu caro Holmes, e diga-me que não o decepcionei como agente, que você não se arrepende da confiança que demonstrou em mim quando me enviou para cá. Todas essas coisas foram esclarecidas com o trabalho de uma noite.

Eu disse "com o trabalho de uma noite", mas, na verdade, foram duas noites, pois na primeira não conseguimos absolutamente nada. Sentei-me com Sir Henry em seus aposentos até quase três horas da manhã, mas não ouvimos nenhum tipo de som a não ser o relógio de carrilhão junto à escada. Foi uma vigília melancólica e terminou com cada um de nós adormecendo em nossas poltronas. Felizmente não desanimamos, e resolvemos tentar novamente. Na noite seguinte, reduzimos a luz da lâmpada e nos sentamos fumando cigarros sem fazer o menor som. Era incrível a lentidão com que as horas se arrastavam, e mesmo assim fomos ajudados pelo mesmo tipo de interesse paciente que o caçador deve sentir quando vigia a armadilha em que espera que a caça possa cair. Uma badalada, duas, e quase desistimos pela segunda vez, sem esperança alguma, quando de súbito ambos nos sentamos empertigados em nossas poltronas, com todos os nossos sentidos cansados totalmente alertas de novo. Tínhamos ouvido o ruído de passos no corredor.

Nós o ouvimos passar muito furtivamente por nossa porta até desaparecer a distância. Então o baronete abriu a porta com delicadeza e partimos em perseguição. Nosso homem já contornara a galeria e o corredor estava mergulhado na escuridão. Suavemente nós avançamos até que chegamos à outra ala. Chegamos a tempo de vislumbrar a figura alta e de barba negra, os ombros caídos, enquanto percorria o corredor na ponta dos pés. Então ele passou pela mesma porta que antes, e a luz da vela a emoldurou na escuridão e disparou um único raio amarelo através da escuridão do corredor. Nós nos arrastamos cautelosamente em direção a ela, experimentando cada tábua antes de nos atrevermos a colocar todo o nosso peso sobre ela. Nós tínhamos tomado a precaução de deixar nossas botas para trás, mas, mesmo assim, as velhas tábuas rangiam sob o nossos passos. Às vezes parecia impossível que ele não percebesse nossa aproximação. No entanto, felizmente o homem é bastante surdo e estava totalmente preocupado com o que estava fazendo. Quando finalmente chegamos à porta e espiamos, vimos que ele se encontrava agachado junto à janela, a vela na mão, o rosto atento e pressionado contra o vidro, exatamente como eu o vira duas noites antes.

Não tínhamos traçado nenhum plano, mas o baronete é um homem para quem o caminho mais direto é sempre o mais natural. Adentrou o cômodo e, ao fazê-lo, Barrymore saltou da janela com um suspiro agudo e ficou de pé, lívido e trêmulo diante de nós. Seus olhos escuros, brilhando na máscara branca de seu rosto, estavam cheios de horror e surpresa quando ele olhou de Sir Henry para mim.

— O que faz aqui, Barrymore?
— Nada, senhor.

Seu nervosismo era tão grande que ele mal conseguia falar, e as sombras projetadas por sua vela trêmula saltavam para cima e para baixo.

— É a janela, senhor. Eu passo todas as noites para ver se elas estão trancadas.

— No segundo andar?

— Sim, senhor, todas as janelas.

— Ouça, Barrymore — disse Sir Henry com firmeza —, estamos dispostos a lhe arrancar a verdade, de modo que, para evitar problemas, é melhor confessar o quanto antes. Vamos! Nada de mentiras. O que você estava fazendo naquela janela?

O sujeito nos lançou um olhar desamparado, torcendo as mãos como alguém que se encontra no mais alto grau de dúvida e aflição.

— Eu não estava fazendo mal nenhum, senhor. Apenas segurava a vela junto à janela.

— E por que você estava fazendo tal coisa?

— Não me pergunte, Sir Henry, não me pergunte! Eu dou a minha palavra, senhor, que esse segredo não me pertence, e eu não posso revelá-lo. Se dissesse respeito apenas a mim, eu não tentaria escondê-lo do senhor.

Uma ideia repentina me ocorreu, e peguei a vela da mão trêmula do mordomo.

— Ele devia estar usando isso como um sinal — sugeri. — Vamos ver se há alguma resposta.

Segurei a vela como ele tinha feito, e olhei para a escuridão da noite. Pude discernir vagamente a barreira escura das árvores e a extensão mais clara da charneca, pois a lua estava por trás das nuvens. E então dei um grito de exultação, pois um minúsculo ponto de luz amarela subitamente trespassou o véu escuro e brilhou firmemente no centro do quadrado preto emoldurado pela janela.

— Lá está! — exclamei.

— Não, não, senhor, isso não é nada! Absolutamente nada! — interrompeu-me o mordomo. —Eu lhe garanto, senhor...

— Mova a vela diante da janela, Watson! — exclamou o baronete. — Veja, a outra se move também! — Agora, seu patife, você nega que é um sinal? Vamos, diga! Quem é o seu cúmplice lá fora, e que conspiração é essa?

A expressão no rosto do homem tornou-se abertamente desafiadora.

— É um assunto meu, não seu. Não vou falar.

— Então deixe esse emprego imediatamente.

— Muito bem, senhor. Se assim tem que ser, será.

— E você vai em desgraça. Por Deus, você devia ter vergonha de si mesmo. Sua família tem vivido com a minha por mais de cem anos sob este teto, e aqui eu lhe encontro em meio a uma trama sombria contra mim.

— Não, não, senhor! Não é contra o senhor!

Uma voz de mulher dissera isso, e a Sra. Barrymore, mais pálida e mais horrorizada do que o marido, estava em pé à porta. Sua figura corpulenta, de saia e enrolada em um xale, podia ser cômica, não fosse pela intensidade da emoção que ela expressava em seu rosto.

— Temos que ir, Eliza. É o fim. Você pode arrumar nossas coisas — disse o mordomo.

— Oh, John, John, fui eu que o levei a isso? A culpa é minha, Sir Henry, toda minha. Ele fez tudo isso por mim, e porque eu lhe pedi.

— Fale, então! O que isso significa?

— Meu pobre irmão está morrendo de fome lá na charneca. Nós não podemos deixá-lo morrer em nosso próprio portão. A luz é um sinal para lhe dizer que há comida pronta para ele, e a luz dele lá longe mostra o local para o qual ela deve ser levada.

— Então seu irmão é...

— O prisioneiro que fugiu, senhor... Selden, o criminoso.

— Essa é a verdade, senhor — disse Barrymore. — Eu disse que não era meu segredo e que não podia contá-lo. Mas agora você ouviu e sabe que, se houvesse uma conspiração, não seria contra você.

Essa era, então, a explicação das expedições furtivas à noite e da luz na janela. Sir Henry e eu olhamos, espantados, para a mulher. Seria possível que essa mulher impiedosamente respeitável tivesse o mesmo sangue de um dos criminosos mais notórios do país?

— Sim, senhor, meu sobrenome de solteira era Selden, e ele é meu irmão mais novo. Nós o mimamos demais quando ele era mais jovem, e sempre fizemos todas as suas vontades, até que ele passou a pensar que o mundo foi feito para o seu prazer, e que ele podia fazer o que quisesse. Então, quando ficou mais velho, ele conheceu companheiros perversos, e o diabo se apossou dele. Então, partiu o coração de minha mãe e arrastou nosso nome para a lama. Afundou-se cada vez mais, de crime em crime, e foi apenas a misericórdia de Deus que o livrou do cadafalso. Mas para mim, senhor, ele sempre foi o pequeno garoto de cabelos cacheados de quem eu cuidava e com quem brincava, como convém a uma irmã mais velha. Foi por isso que ele fugiu da prisão, senhor. Ele sabia que eu estava aqui e que não poderíamos recusar a ajudá-lo. Quando ele se arrastou até aqui uma noite, exausto e faminto, com os guardas em seus calcanhares, o que podíamos fazer? Nós o acolhemos e o alimentamos e cuidamos dele. Então o senhor voltou, e meu irmão achou que ele estaria mais seguro na charneca do que em qualquer outro lugar até que tudo se acalmasse, então se escondeu lá. Mas a cada duas noites nós verificamos se ele ainda estava lá, colocando uma luz na janela, e se recebêssemos uma resposta, meu marido levava um pouco de pão e carne para ele. Todos os dias nós desejávamos que ele fosse embora, mas, enquanto lá estiver, não podemos abandoná-lo. Essa é toda a verdade, como eu sou uma mulher cristã honesta, o senhor verá que, se há culpa nesse assunto, não é do meu marido, mas minha, pois foi por mim que ele fez tudo o que fez.

As palavras da mulher transmitiam uma sinceridade tão intensa que as tornavam convincentes.

— Isso é verdade, Barrymore?

— Sim, Sir Henry. Cada palavra.

— Bem, eu não posso culpá-lo por ficar ao lado de sua própria esposa. Esqueça o que eu disse. Vá para o seu quarto, vocês dois, e falaremos mais sobre esse assunto amanhã de manhã.

Quando eles se foram, olhamos de novo pela janela. Sir Henry abriu-a e o vento frio da noite bateu em nossos rostos. Longe, na distância negra, ainda brilhava aquele minúsculo ponto de luz amarela.

— Não sei como ele tem coragem — comentou Sir Henry.

— Talvez esteja escondido de um modo que a vela só seja visível daqui.

— Muito provavelmente. A que distância você calcula que esteja?

— Perto de Cleft Tor, eu acho.

— A apenas uns dois quilômetros daqui.

— Talvez menos.

— Bem, não pode ser muito longe, já que Barrymore tinha que levar a comida até lá. E o canalha está esperando junto da vela. Por Deus, Watson, eu vou sair para pegar esse homem!

O mesmo pensamento passou pela minha cabeça. Não era como se os Barrymore nos tivessem feito uma confidência. Tínhamos-lhe arrancado o segredo. O homem era um perigo para a comunidade, um canalha sem escrúpulos para quem não havia nem piedade nem desculpa. Nós estávamos apenas fazendo o nosso dever em aproveitar essa chance de mandá-lo de volta onde ele não podia fazer nenhum mal. Com sua natureza brutal e violenta, outros teriam que pagar o preço se nos abstivéssemos. Qualquer noite, por exemplo, nossos vizinhos, os Stapleton, podiam ser atacados por ele, e pode ter sido esse pensamento que fez Sir Henry ficar tão ávido pela aventura.

— Eu irei com você — avisei.

— Então pegue seu revólver e calce suas botas. Quanto mais depressa partirmos, melhor, uma vez que o sujeito pode apagar a luz e fugir.

Em cinco minutos tínhamos saídos da casa, dando início à nossa expedição. Nós nos apressamos pelo matagal escuro, em meio ao gemido monótono do vento do outono e do farfalhar das folhas que caíam. O ar da noite estava pesado com o cheiro de umidade e podridão. De vez em quando, a lua espreitava por um instante, mas as nuvens se moviam depressa pelo céu e, assim que entramos na charneca, uma chuva fina começou a cair. A luz ainda brilhava à nossa frente.

— Você está armado? — perguntei.

— Tenho um chicote de caça.

— Temos que nos aproximar dele rapidamente, pois dizem que ele é um sujeito violento. Vamos pegá-lo de surpresa e ficará à nossa mercê antes que tenha tempo de resistir.

— Então, Watson — disse o barão —, o que Holmes diria disso? E quanto a esta hora escura em que a força do mal está exaltada?

Como se em resposta às suas palavras, subitamente surgiu da vasta escuridão da charneca aquele estranho grito que eu já tinha ouvido à beiras do grande charco de Grimpen. Vinha com o vento através do silêncio da noite, um longo e profundo murmúrio, depois um uivo crescente, e depois o triste gemido que desaparecia pouco a pouco. Soou muitas vezes, todo o ar palpitando com ele, estridente, selvagem e ameaçador. O baronete segurou minha manga e seu rosto pálido brilhou em meio à escuridão.

— Meu Deus, Watson, o que é isso?

— Não sei. É um som que existe na charneca. Já o ouvi uma vez antes.

O som desapareceu e fomos envolvidos por um silêncio absoluto. Aguçamos nossos ouvidos, mas foi em vão.

— Watson — disse o baronete —, foi o uivo de um cão.

O sangue gelou em minhas veias, pois houve uma alteração em sua voz que revelava o súbito horror que tinha se apoderado dele.

— Como eles chamam esse som? — perguntou ele.

— Quem?

— O povo da região.

— Oh, eles são pessoas ignorantes. Por que você se importaria com o nome que lhe dão?

— Diga-me, Watson. O que dizem eles?

Hesitei, mas não pude escapar da pergunta.

— Dizem que é o uivo do Cão dos Baskerville.

Ele gemeu e permaneceu em silêncio por alguns instantes.

— Era um cão, sim — disse ele por fim. — Mas parecia estar a muitos quilômetros de distância, eu acho.

— Difícil dizer de onde vinha.

— Ele surgiu e desapareceu com o vento. Aquela não é a direção do charco de Grimpen?

— Sim, é.

— Bem, veio de lá. Mas vamos, Watson, você também não acha que foi o uivo de um cão? Não sou uma criança. Não precisa ter medo de dizer a verdade.

— Stapleton estava comigo quando o ouvi da outra vez. Disse que podia ser o chamado de uma ave estranha.

— Não, não, era um cão. Meu Deus, poderia haver alguma verdade em todas essas histórias? É possível que eu esteja realmente em perigo por uma razão tão misteriosa? Você não acredita, não é, Watson?

— Não, não.

— E, no entanto, uma coisa era rir disso em Londres, e outra é estar aqui exposto na escuridão da charneca e ouvir um grito como esse. E meu tio! Tinha uma pegada de cão ao lado de onde ele caiu. Tudo se encaixa. Não me julgo um covarde, Watson, mas esse som pareceu congelar meu próprio sangue. Sinta minha mão!

Estava tão fria quanto um bloco de mármore.

— Você vai ficar bem amanhã.

— Creio que não conseguirei tirar esse grito da minha cabeça. O que você aconselha que façamos agora?

— Vamos voltar?

— Não, por Deus. Nós saímos para pegar o nosso homem, e vamos fazê-lo. Estamos atrás do prisioneiro e um cão do inferno provavelmente está atrás de nós. Vamos, Watson. Vamos até o fim, mesmo que todos os demônios do inferno estejam soltos na charneca.

Avançamos devagar pela escuridão, com o vulto negro das colinas escarpadas ao nosso redor, e a mancha amarela de luz queimando constantemente na frente. Não há nada tão ilusório quanto a distância de uma luz em uma noite escura como breu, e às vezes o brilho parecia estar longe no horizonte, ora a poucos metros de nós. Mas finalmente pudemos ver de onde vinha, e então sabíamos que estávamos realmente muito próximos. Uma vela gotejante estava presa na fenda de rochas que a flanqueava de cada lado, de modo a evitar o vento e impedir que fosse visível, exceto na direção do Solar Baskerville. Uma grande pedra de granito ocultava nossa aproximação e, agachado atrás dela, olhamos para o sinal luminoso. Era estranho ver aquela única vela ardendo ali no meio da charneca, sem nenhum sinal de vida perto dela... apenas uma chama amarela e o brilho da rocha de ambos os lados.

— O que faremos agora? — sussurrou Sir Henry.

— É melhor esperar aqui. Ele deve estar perto da vela. Vamos ver se conseguimos avistá-lo.

As palavras mal saíram da minha boca quando nós dois o vimos. Sobre as pedras em cuja fenda a vela ardia, surgiu um rosto amarelo e cruel, uma feição terrível e bestial, marcada pelas paixões mais vis. Sujo de lama, com uma barba eriçada e o cabelo desgrenhado, poderia muito bem ter pertencido a um daqueles antigos selvagens que moravam outrora nas cabanas das encostas. A luz abaixo dele refletia-se em seus pequenos e ardilosos olhos que espreitavam ferozmente para a direita e para a esquerda, através da escuridão, como um animal astuto e selvagem que tinha ouvido os passos dos caçadores.

Algo evidentemente tinha despertado suas suspeitas. Podia ser que Barrymore tivesse algum sinal particular que tínhamos deixado de dar, ou talvez ele tivesse algum outro motivo para pensar que nem tudo estava bem, mas eu podia ler seus medos em seu rosto perverso. A qualquer momento ele podia apagar a luz e desaparecer na escuridão. Assim, saltei à frente e Sir Henry fez o mesmo. De imediato o condenado gritou uma maldição contra nós e lançou uma pedra que se estilhaçou contra a rocha que nos protegia. Vi de relance sua figura baixa, atarracada, de compleição forte quando ele se levantou e se virou para correr. No mesmo momento, por sorte, a lua atravessou as nuvens. Corremos pelo topo da colina, e lá estava o nosso homem descendo em grande velocidade pelo outro lado, saltando sobre as pedras em seu caminho com a agilidade de um cabrito-montês. Um tiro certeiro do meu revólver poderia tê-lo aleijado, mas eu o trouxera apenas para me defender e não para atirar em um homem desarmado que estava fugindo.

Nós dois éramos corredores velozes e estávamos em uma forma razoavelmente boa, mas logo percebemos que não tínhamos nenhuma chance de alcançá-lo. Nós o vimos por um longo tempo ao luar, até que ele era apenas um pequeno ponto movendo-se rapidamente entre as pedras do lado de uma colina distante. Corremos até ficarmos completamente exauridos, mas o espaço entre nós somente crescia. Finalmente paramos e nos sentamos em duas pedras, arquejando, enquanto o observávamos desaparecendo ao longe.

E foi nesse momento que ocorreu uma coisa muito estranha e inesperada. Tínhamos nos levantado de nossas pedras e estávamos prestes a virar para ir para casa, tendo abandonado a perseguição inútil e sem esperança. A lua estava baixa à direita, e o cume irregular de um penhasco de granito se erguia contra a curva inferior de seu disco prateado. Ali, com uma silhueta tão negra quanto uma estátua de ébano contra aquele pano de fundo brilhante, vi a figura de um homem no cume. Não pense que foi uma ilusão, Holmes. Garanto-lhe que nunca na minha vida vi algo mais claro. Até onde eu podia julgar, a figura era de um homem alto e magro. Ele estava com as pernas um pouco separadas, os braços cruzados, a cabeça inclinada, como se estivesse meditando sobre aquele enorme deserto de turfa e granito que se estendia diante dele. Ele podia ser o próprio espírito daquele lugar terrível. Não era o prisioneiro. O homem estava longe do lugar onde este último tinha desaparecido. Além disso, era muito mais alto. Com um grito de surpresa, apontei-o para o baronete, mas no instante em que me virei para agarrar seu braço, o homem desapareceu. Lá estava o ápice do granito ainda cortando a borda inferior da lua, mas seu pico não mostrava nenhum vestígio daquele vulto silencioso e imóvel.

Eu queria ir nessa direção e procurar no penhasco, mas estava a alguma distância. Os nervos do baronete ainda estavam abalados pelo uivo do cão, que lembrava a sombria história de sua família, e ele não estava com disposição para novas aventuras. Ele não vira o homem solitário no penhasco e não podia sentir a emoção que sua estranha presença e sua atitude dominadora tinham me causado.

— Um guarda, com certeza — disse ele. — A charneca está cheia deles desde que esse sujeito escapou.

Bem, talvez sua explicação fosse correta, mas eu gostaria de ter mais uma prova disso. Hoje temos a intenção de comunicar ao pessoal de Princetown onde eles devem procurar o homem desaparecido, já que infelizmente não tivemos o triunfo de trazê-lo de volta como nosso próprio prisioneiro. Tais são as aventuras da noite passada, e você deve reconhecer, meu caro Holmes, que lhe fiz um excelente relatório. Muito do que lhe digo é, sem dúvida, irrelevante, mas ainda assim sinto que é melhor deixar que você tenha todos os fatos e permitir que você selecione para si aqueles que lhe serão mais úteis em suas conclusões. Estamos certamente fazendo algum progresso. No que diz respeito aos Barrymore, descobrimos o que motivava suas ações, e isso esclareceu muito a situação. Mas a charneca com seus mistérios e seus estranhos habitantes permanecem tão incompreensíveis quanto antes. Talvez no meu próximo relatório eu possa ser capaz de lançar alguma luz sobre isso também. O melhor seria se você pudesse se juntar a nós. De qualquer forma, você ouvirá de mim novamente nos próximos dias.

CAPÍTULO X

Extrato do diário do Dr. Watson

Até agora, consegui citar os relatórios que enviei durante esses primeiros dias a Sherlock Holmes. Agora, porém, cheguei a um ponto de minha narrativa em que sou compelido a abandonar esse método e a confiar mais uma vez em minhas lembranças, auxiliado pelo diário que mantive na época. Alguns trechos deste último me levarão àquelas cenas que estão indelevelmente fixadas em cada detalhe na minha memória Continuo, portanto, a partir da manhã que se seguiu à nossa perseguição malograda ao prisioneiro e às nossas outras estranhas peripécias na charneca.

16 de outubro. — Um dia monótono, nublado e com chuvisco. A casa está envolta em rolos de nuvens, que de vez em quando se dissipam para mostrar as curvas sombrias da charneca, com finos veios prateados nas laterais das colinas e as rochas distantes brilhando onde a luz incide sobre suas faces molhadas. A melancolia reina dentro e fora. O baronete está deprimido após as excitações da noite. Eu mesmo sinto um peso em meu coração e um sentimento de perigo iminente, um perigo sempre presente, o que é terrível, pois sou incapaz de defini-lo.

Não teria eu motivo para tal sensação? Consideremos a longa sucessão de incidentes que apontam para alguma influência sinistra que está em ação ao nosso redor. A morte do último ocupante do Solar, preenchendo exatamente as condições da lenda da família, e os repetidos relatos de camponeses sobre a aparição de uma estranha criatura na charneca. Duas vezes ouvi com meus próprios ouvidos o som que se assemelhava ao latido distante de um cão. É incrível, é impossível, que isso escape realmente às leis ordinárias da natureza. Um cão espectral que deixa pegadas materiais e enche o ar com seus uivos certamente não é concebível. Stapleton pode acreditar em tal superstição, e Mortimer também. Mas, se eu tenho uma qualidade na terra, é bom senso, e nada me persuadirá a acreditar em tal coisa. Fazê-lo seria descer ao nível desses pobres camponeses, que não se contentam com um mero cão diabólico, mas precisam descrevê-lo soltando fogo do inferno pela boca e pelos olhos. Holmes não daria ouvidos a essas fantasias e eu sou seu agente. Mas fatos são fatos, e eu ouvi esse uivo na charneca. Suponhamos que haja realmente algum enorme cão solto ali; isso explicaria muita coisa. Mas onde poderia tal cão se esconder, onde obteria sua comida, de onde viria, e como se explicaria o fato de que só é visto durante a noite? Devo confessar que a explicação natural oferece quase tantas dificuldades quanto a outra. E sempre, além do cão, há o fato da ação humana em Londres, o homem na carruagem e a carta que preveniu Sir Henry contra a charneca. Isso pelo menos era real, mas podia ter sido obra de um amigo protetor tão facilmente quanto de um inimigo. Onde está esse amigo ou inimigo agora? Ele permaneceu em Londres ou nos seguiu até aqui? Poderia ele ser o estranho que eu vi no penhasco?

É verdade que o vi apenas de relance, no entanto, há algumas coisas as quais estou disposto a jurar. Ele não é ninguém que eu tenha visto por aqui, e a esta altura já conheço todos os vizinhos. A figura era muito mais alta do que Stapleton, e muito mais esguio do que Frankland. Poderia ter sido Barrymore, mas nós o havíamos deixado em casa e tenho certeza de que ele não poderia ter nos seguido. Um estranho ainda está nos perseguindo, exatamente como em Londres. Nunca o despistamos. Se eu pudesse colocar minhas mãos naquele homem, finalmente poderíamos nos encontrar no fim de todas as nossas dificuldades. A este único propósito, devo agora dedicar todas as minhas energias.

Meu primeiro impulso foi contar para Sir Henry todos os meus planos. O meu segundo e mais sensato foi agir sozinho e falar o mínimo possível para qualquer um. Ele anda silencioso e distraído. Seus nervos foram estranhamente abalados por aquele uivo na charneca. Não direi nada para aumentar sua ansiedade, mas vou dar meus próprios passos para alcançar meu objetivo.

Tivemos uma pequena cena esta manhã após o desjejum. Barrymore pediu licença para falar com Sir Henry, e eles ficaram fechados em seu escritório por algum tempo. Sentado na sala de bilhar, ouvi, mais de uma vez, o tom das vozes se elevar e pude ter uma ideia bastante boa do assunto em discussão. Depois de algum tempo, o baronete abriu a porta e me chamou.

— Barrymore está descontente — disse ele. — Julga que foi injusto de nossa parte perseguir seu cunhado quando ele, de livre e espontânea vontade, nos contara o segredo.

O mordomo estava diante de nós, muito pálido, mas também muito controlado.

— Talvez eu tenha me exaltado, senhor — disse ele —, e se o fiz, certamente lhe peço perdão. Por outro lado, fiquei muito surpreso quando ouvi vocês dois voltarem esta manhã e descobri haviam saído em perseguição de Selden. O pobre sujeito já tem muitos a quem enfrentar sem que eu coloque mais gente em seu encalço.

— Se você tivesse nos contado de livre e espontânea vontade, teria sido uma coisa diferente — replicou o baronete. — Você apenas nos contou, ou melhor, sua esposa nos contou, quando se viu obrigada e você não pôde evitar.

— Não achei que o senhor fosse tirar proveito disso, Sir Henry, realmente não achei.

— O homem é uma ameaça pública. Há casas isoladas espalhadas pela charneca, e ele é um sujeito que não hesitaria diante de nada. Basta vislumbrar seu rosto para ver isso. Veja a casa do Sr. Stapleton, por exemplo, sem ninguém além dele para defendê-la. Não há segurança para ninguém até que o foragido esteja novamente trancado e fechado a sete chaves.

— Ele não vai entrar na casa de ninguém, senhor. Eu lhe dou minha palavra de honra. E nunca mais incomodará ninguém neste país. Asseguro-lhe, Sir Henry, que em poucos dias os arranjos necessários terão sido feitos e ele estará a caminho da América do Sul. Pelo amor de Deus, peço-lhe que não deixe a polícia saber que ele ainda está na charneca. Eles desistiram da perseguição, e ele poderá ficar quieto até que o navio esteja pronto para ele partir. Você não pode contar sobre ele sem colocar eu e minha esposa em apuros. Peço-lhe, senhor, que não conte nada à polícia.

— O que você acha, Watson?
Encolhi os ombros.
— Se ele estivesse com certeza fora do país, isso aliviaria o contribuinte de um fardo.
— Mas e quanto à possibilidade de ele assaltar alguém antes de partir?
— Ele não faria uma insanidade dessas. Já lhe demos tudo de que pode precisar. Cometer um crime seria revelar onde está se escondendo.
— Isso é verdade — disse Sir Henry. — Bem, Barrymore...
— Deus o abençoe, senhor, e obrigado de coração! Se ele fosse preso de novo isso mataria a minha pobre esposa.
— Eu acho que estamos sendo cúmplices de um crime, hein, Watson? Mas, depois do que ouvimos, não sinto como se pudesse entregar o homem, portanto a questão está encerrada. Tudo bem, Barrymore, você pode ir.
Gaguejando algumas palavras de gratidão, o homem se virou, mas então hesitou e voltou.
— Você tem sido tão gentil conosco, senhor, que, em retribuição, gostaria de agir da melhor maneira possível com o senhor. Eu sei de uma coisa, Sir Henry, e talvez eu devesse tê-la contado antes, mas foi muito depois do inquérito que descobri. Nunca disse uma palavra a respeito para ninguém. É sobre a morte do pobre Sir Charles.
O baronete e eu nos levantamos.
— Você sabe como ele morreu?
— Não, senhor, isso eu não sei.
— O que sabe, então?
— Sei por que ele estava no portão àquela hora. Era para encontrar uma mulher.
— Encontrar uma mulher? Ele?
— Sim, senhor.
— E qual é o nome da mulher?
— Eu não posso lhe dar o nome, senhor, mas posso dar as iniciais. Eram L. L.
— Como você sabe disso, Barrymore?

— Bem, Sir Henry, seu tio recebeu uma carta naquela manhã. Ele costumava receber muitas cartas, pois era um homem público e muito conhecido por sua bondade, de modo que todos os que estavam com problemas gostavam de recorrer a ele. Mas naquela manhã, por acaso, tinha apenas uma carta, então despertou minha atenção. Vinha de Coombe Tracey, e estava escrita com letra de mulher.

— Bem?

— Bem, senhor, não pensei mais sobre o assunto e nunca o teria se não fosse por minha mulher. Apenas algumas semanas atrás, ela estava limpando o escritório de Sir Charles, que não tinha sido tocado desde sua morte, e encontrou as cinzas de uma carta queimada no fundo da lareira. A maior parte estava carbonizada, mas uma pequena tira, o fim de uma página, tinha ficado inteira e ainda podia ser lida, embora em cinza contra um fundo preto. Pareceu-nos ser um pós-escrito e dizia: "Por favor, por favor, como você é um cavalheiro, queime esta carta e esteja no portão às dez horas." Abaixo vinham as iniciais L. L.

— Você guardou essa tira?

— Não, senhor, ela se desfez depois que a removemos.

— Sir Charles recebeu alguma outra carta com a mesma letra?

— Bem, senhor, eu não dava atenção especial às cartas dele. Eu não teria notado essa, caso não tivesse chegado sozinha.

— E você não tem ideia de quem seja L. L.?

— Não, senhor. Não mais do que o senhor. Mas acho que, se pudéssemos colocar as mãos sobre essa senhora, saberíamos mais sobre a morte de Sir Charles.

— Eu não consigo entender, Barrymore, como foi capaz de esconder essa importante informação.

— Bem, senhor, foi imediatamente depois de termos sido vítimas de nosso próprio infortúnio. E, além do mais, senhor, nós dois gostávamos muito de Sir Charles, como não podia deixar de ser, considerando tudo o que ele fez por nós. Trazer isso à luz não podia ajudar nosso pobre patrão, e convém agir com cuidado quando há uma dama no caso. Até os melhores de nós...

— Você pensou que isso poderia prejudicar a reputação dele?

— Bem, senhor, pensei que nada de bom poderia sair daí. Mas o senhor tem sido tão bondoso conosco, que eu julgaria estar sendo injusto com o senhor se não lhe dissesse tudo que sei sobre o assunto.

— Muito bem, Barrymore, você pode ir.

Quando o mordomo nos deixou, Sir Henry se virou para mim.

— Bem, Watson, o que você acha dessa nova luz?

— Parece que deixa a escuridão ainda mais sombria do que antes.

— Penso o mesmo. Mas se ao menos pudéssemos localizar L. L., isso esclareceria todo o caso. Sabemos que há alguém que tem os fatos, se pudermos encontrá-la. O que você acha que devemos fazer?

— Ela parece deixar a escuridão mais negra que antes.

— É o que penso. Mas se pudéssemos pelo menos localizar L. L. isso elucidaria todo o caso. Temos essa vantagem. Sabemos que há alguém que detém os fatos, tomara que possamos encontrá-la. Que pensa que deveríamos fazer?

— Deixe Holmes saber de tudo isso imediatamente. Isso lhe dará a pista que vem procurando. Ou muito me engano, ou isso o trará para cá.

Fui imediatamente ao meu quarto e redigi meu relatório da conversa da manhã para Holmes. Era evidente para mim que ele estivera muito ocupado ultimamente, pois os bilhetes que eu recebera de Baker Street tinham sido poucos e curtos, sem nenhum comentário sobre as informações que eu tinha fornecido e quase nenhuma referência à minha missão. Sem dúvida, seu caso de chantagem devia estar absorvendo todas as suas competências. E, no entanto, esse novo fator certamente devia prender sua atenção e renovar seu interesse. Eu queria que ele estivesse aqui.

17 de outubro. — A chuva caiu o dia todo, farfalhando na hera e pingando dos beirais. Pensei no prisioneiro na triste, fria e desabrigada charneca. Pobre sujeito! Fossem quais fossem seus crimes, ele estava sofrendo para expiá-los. E então pensei naquele outro, o rosto que víramos na carruagem, e a figura contra a lua. Estaria ele também lá fora naquele dilúvio, o vigia invisível, o homem das trevas? À noite, vesti meu impermeável e fiz uma longa caminhada pela charneca, repleto de pensamentos sombrios, a chuva batendo em meu rosto e o vento assobiando em meus ouvidos. Que Deus ajude aqueles que andem pelo grande charco agora, pois até os terrenos elevados estão se tornando um pântano. Encontrei o pico Negro sobre o qual vira o observador solitário e, de seu cume escarpado, contemplei eu mesmo o terreno ondulado e melancólico. Rajadas de chuva açoitavam sua face castanho-avermelhada, e nuvens pesadas da cor de ardósia pendiam baixas sobre a paisagem, arrastando-se em espirais cinzentas pelas encostas dos morros fantásticos. Na depressão distante à esquerda, semiescondida pela névoa, avistei as duas torres finas do Solar Baskerville que erguiam-se acima das árvores. Eles eram os únicos sinais de vida humana que eu podia ver, exceto aquelas cabanas pré-históricas que se aglomeravam nas encostas dos morros. Em nenhum lugar havia qualquer vestígio daquele homem solitário que eu tinha visto no mesmo lugar duas noites antes.

Ao voltar, fui surpreendido pelo Dr. Mortimer dirigindo sua carroça por uma acidentada trilha da charneca que levava à distante fazenda de Foulmire. Ele tem sido muito atencioso conosco, e quase não se passa um dia sem que ele apareça no Solar para ver como estamos passando. Ele insistiu em que eu subisse em sua carroça e me deu uma carona para casa. Notei que estava muito incomodado com o desaparecimento de seu pequeno spaniel. O animal fugira para a charneca e nunca mais voltou. Tentei lhe consolar da melhor maneira possível, mas pensei no pônei no charco de Grimpen e creio que ele não voltará a ver seu cachorrinho.

— Aliás, Mortimer — disse eu, enquanto avançávamos ao longo da estrada —, suponho que não tenha muitas pessoas morando por estas bandas que você não conheça, não é?

— Provavelmente nenhuma.

— Você pode, então, me dizer o nome de qualquer mulher cujas iniciais sejam L. L.?

Ele refletiu por alguns minutos.

— Não — respondeu. — Há algumas ciganas e trabalhadoras que não conheço bem, mas entre os fazendeiros ou a pequena nobreza não há ninguém cujas iniciais sejam essas. Espere um pouco — acrescentou depois de uma pausa. — Tem a Laura Lyons. Suas iniciais são L. L.... mas ela mora em Coombe Tracey.

— Quem é ela? — perguntei.

— Ela é filha de Frankland.
— Do velho Frankland, o excêntrico?
— Exatamente. Ela se casou com um artista chamado Lyons, que veio desenhar na charneca. O sujeito se provou um patife e a abandonou. Mas, pelo o que ouvi, talvez não tenha sido o único culpado. O pai se recusou a ter qualquer relação com ela, já que havia se casado sem seu consentimento, e talvez por mais uma ou duas outras razões também. Então, entre o velho e o jovem pecador, a moça passou por um mau momento.
— Como ela vive?
— Creio que o velho Frankland lhe dê uma ninharia, mas não pode lhe dar mais, porque seus próprios negócios estão bastante complicados. Seja o que for que ela tenha merecido, não se poderia permitir que seguisse irremediavelmente pelo mau caminho. Sua história se espalhou, e várias pessoas aqui fizeram alguma coisa para lhe permitir ganhar a vida honestamente. Stapleton foi uma delas, e Sir Charles outra. Também eu contribuí com uma bagatela. Foi para colocá-la em um negócio de datilografia.

Mortimer queria saber o objetivo de minhas perguntas, mas consegui satisfazer sua curiosidade sem lhe dizer muito, pois não há razão alguma para confiarmos em ninguém. Amanhã de manhã, seguirei rumo a Coombe Tracey, e se eu puder ver essa Sra. Laura Lyons, de reputação duvidosa, um grande passo será dado rumo ao esclarecimento de um incidente nessa cadeia de mistérios. É certo que estou desenvolvendo a astúcia de uma serpente, pois quando Mortimer levou suas perguntas longe demais, perguntei-lhe casualmente a que tipo pertencia o crânio de Frankland de modo que não ouvi nada além de craniologia no restante da nossa jornada. Eu não tenho vivido por anos com Sherlock Holmes para nada.

Só há mais um incidente para registrar neste dia tempestuoso e melancólico. Foi minha conversa com Barrymore agora há pouco, a qual me dá mais um trunfo que poderei jogar no devido tempo.

Mortimer ficou para jantar, e ele e o baronete jogaram écarté depois. O mordomo levou meu café para a biblioteca e aproveitei para lhe fazer algumas perguntas.

— Bem — disse eu —, esse precioso parente de vocês foi embora, ou ainda está se escondendo lá na charneca?

— Eu não sei, senhor. Espero em Deus que ele tenha partido, pois não nos trouxe nada além de problemas! Não ouvi nada a respeito dele desde que lhe deixei comida, e isso foi há três dias.

— Você o viu então?

— Não, senhor, mas a comida tinha sumido quando passei por aquele caminho outra vez.

— Então ele estava certamente lá?

— Eu diria que sim, senhor, a menos que o outro homem o tenha pegado.

Sentei-me com a xícara de café a meio caminho dos lábios e olhei para Barrymore.

— Você sabe que há outro homem então?

— Sim, senhor. Há outro homem na charneca.

— Você o viu?

— Não, senhor.

— Então como é que sabe dele?

— Selden me falou dele, senhor, há mais ou menos uma semana. Ele também está se escondendo, mas não é um prisioneiro, até onde sei. Eu não gosto disso, Dr. Watson. Digo-lhe francamente, senhor, que isso não me agrada — disse o mordomo com uma súbita seriedade.

— Agora, escute-me, Barrymore! Não tenho interesse neste assunto além do seu patrão. Eu vim aqui sem nenhum objetivo exceto ajudá-lo. Diga-me, francamente, o que é que o desagrada?

Barrymore hesitou por um momento, como se estivesse arrependido de seu ímpeto, ou achasse difícil expressar seus próprios sentimentos em palavras.

— São todas essas coisas estranhas, senhor! — exclamou ele por fim, apontando para a janela fustigada pela chuva que dava para a charneca. — Há algo perverso em algum lugar, e há uma vilania sinistra se preparando, isso eu posso jurar! Eu ficaria muito contente, senhor, se Sir Henry voltasse a Londres!

— Mas o que é que o deixa tão assustado?

— Veja a morte de Sir Charles! Aquilo foi bastante ruim, apesar de tudo o que o investigador disse. Pense nos ruídos na charneca à noite. Não há um homem que ousaria atravessá-la depois do pôr do sol nem que seja pago. Veja esse estranho que está se escondendo e observando e esperando! O que ele está esperando? O que significa isso? Não significa nada de bom para alguém com o nome Baskerville, e ficarei muito feliz por deixar tudo isso no dia em que os novos criados de Sir Henry estiverem prontos para me substituírem aqui no Solar.

— Mas sobre esse estranho — disse eu. — Você pode me dizer alguma coisa sobre ele? O que Selden disse? Descobriu onde ele se escondia, ou o que ele estava fazendo?

— Ele o viu uma ou duas vezes, mas o sujeito é muito astuto, e não dá nada a perceber. A princípio Selden pensou que ele era da polícia, mas logo descobriu que ele tem algum objetivo próprio. Era uma espécie de cavalheiro, pelo que pôde ver, mas o que estava fazendo Selden não conseguiu descobrir.

— E onde ele disse que morava?

— Entre as velhas cabanas na encosta do morro, aquelas de pedra onde o povo antigo costumava viver.

— Mas e quanto à sua comida?

— Selden descobriu há um rapaz que trabalha para ele e lhe traz tudo de que precisa. Suponho que vai a Coombe Tracey quando quer buscar alguma coisa.

— Muito bem, Barrymore. Podemos conversar mais sobre isso em outro momento.

Quando o mordomo se foi, aproximei-me da janela escura e espiei através de uma vidraça embaçada para as nuvens e para o contorno das árvores varridas pelo vento. Já era uma noite tenebrosa dentro de casa, então imagine como devia ser em uma cabana de pedra na charneca? Que ódio apaixonado pode ser esse que leva um homem a se esconder em tal lugar com um tempo como esse? E que objetivo profundo e importante ele pode ter, que exija tamanha provação? Lá, naquela cabana na charneca, parece estar o centro desse problema que tanto me atormenta. Juro que nem mais um dia se passará sem que eu faça tudo que é humanamente possível para chegar ao âmago do mistério.

CAPÍTULO XI

O homem sobre o penhasco

O trecho do meu diário particular, que formou o último capítulo, levou minha narrativa até o dia 18 de outubro, época em que esses estranhos acontecimentos começaram a avançar rapidamente rumo sua terrível conclusão. Os incidentes dos próximos dias estão indelevelmente gravados em minha lembrança que posso narrá-los sem recorrer às anotações feitas na época. Começo então a partir do dia que sucedeu àquele em que eu tinha estabelecido dois fatos de grande importância, primeiro que a Sra. Laura Lyons de Coombe Tracey tinha escrito para Sir Charles Baskerville e marcado um encontro com ele no mesmo lugar e hora que ele encontrou sua morte, e segundo, que o homem que se escondia na charneca podia ser encontrado entre as cabanas de pedra no lado da colina. De posse desses dois fatos, senti que ou minha inteligência ou minha coragem deviam ser deficientes se eu não conseguisse lançar mais luz sobre esses pontos obscuros.

Não tive oportunidade de contar ao baronete, na noite anterior, o que ficara sabendo sobre a Sra. Lyons, pois o Dr. Mortimer ficou jogando cartas com ele até muito tarde. No desjejum, porém, informei-o da minha descoberta e perguntei-lhe se gostaria de me acompanhar até Coombe Tracey. No começo, ele estava muito ansioso para ir, mas, pensando melhor, pareceu-nos que, se eu fosse sozinho, os resultados podiam ser mais satisfatórios. Quanto mais formal tornássemos a visita, menos informação nós poderíamos obter. Portanto, deixei Sir Henry para trás, não sem algum remorso, e parti para minha nova missão.

Quando cheguei a Coombe Tracey, pedi a Perkins para guardar os cavalos e fiz perguntas sobre a senhora a quem eu desejava interrogar.

Não tive dificuldade em encontrar sua casa, que era central e bem equipada. Uma criada recebeu-me sem cerimônia e, ao entrar na sala de estar, uma senhora, que estava sentada diante de uma máquina de escrever Remington, levantou-se de imediato e deu um agradável sorriso de boas-vindas. No entanto, ficou desapontada quando viu que eu era um desconhecido e, tornando a se sentar, perguntou-me o motivo da minha visita.

A primeira impressão que tive da Sra. Lyons foi de grande beleza. Seus olhos e cabelos tinham a mesma cor de avelã, e suas bochechas, embora consideravelmente sardentas, estavam coradas pelo viço delicado das morenas, e o rosado delicado que se esconde no coração da rosa sulfurosa. A admiração foi, repito, a primeira impressão. Mas a segunda foi de desaprovação. Tinha algo sutilmente errado com o rosto, uma vulgaridade de expressão, alguma dureza, talvez, no olhar, alguma frouxidão dos lábios que desfigurava sua beleza perfeita. Mas essas, claro, são reflexões posteriores. Na ocasião eu estava apenas consciente de que estava na presença de uma mulher muito bonita e que ela estava me perguntando o motivo de minha visita. Até aquele momento, eu não tinha entendido o quanto era delicada a minha missão.

— Eu tive o prazer — disse eu — de conhecer seu pai.

Foi uma introdução desajeitada, e a dama me fez sentir isso.

— Não há nada em comum entre meu pai e eu — respondeu-me. — Não lhe devo nada e seus amigos não são meus amigos. Se não fosse pelo falecido Sir Charles Baskerville e outros corações bondosos, eu poderia ter passado fome e meu pai pouco teria se importado.

— É a respeito do finado Sir Charles Baskerville que vim procurá-la.

As sardas começaram a sobressair em seu rosto.

— O que eu posso lhe dizer sobre ele? — indagou ela, seus dedos remexendo nervosamente sobre as teclas da máquina de escrever.

— A senhora o conhecia, não é?

— Eu já disse que devo muito à bondade dele. Se sou capaz de me sustentar, é em grande parte devido ao interesse que ele demonstrou por minha infeliz situação.

— A senhora se correspondia com ele?

A dama ergueu rapidamente o olhar com um brilho zangado em seus olhos cor de avelã.

— Qual é o objetivo dessas perguntas? — perguntou ela bruscamente.

— O objetivo é evitar um escândalo público. É melhor que eu as faça aqui do que vermos o assunto escapar do nosso controle.

Ela ficou em silêncio, com o rosto muito pálido. Por fim, levantou os olhos com algo imprudente e desafiador em seus modos.

— Bem, eu vou responder — disse ela. — Quais são as suas perguntas?

— A senhora se correspondia com Sir Charles?

— Certamente lhe escrevi uma ou duas vezes para agradecer sua delicadeza e generosidade.

— Sabe a data dessas cartas?

— Não.

— Você já se encontrou com ele?

— Sim, uma ou duas vezes, quando ele veio a Coombe Tracey. Era um homem muito reservado, e preferia fazer o bem com discrição.

— Mas se você o via tão raramente e escrevia tão raramente, como ele poderia conhecer tanto a respeito de seus problemas para ajudá-la, como você diz que ele fez?

Ela enfrentou minha pergunta com a maior prontidão.

— Vários cavalheiros sabiam da minha triste história e se uniram para me ajudar. Um deles foi o Sr. Stapleton, vizinho e amigo íntimo de Sir Charles. Ele é excessivamente gentil e foi por intermédio dele que Sir Charles ficou sabendo dos meus problemas.

Eu já sabia que em várias ocasiões Sir Charles Baskerville fizera com que Stapleton distribuísse seus donativos, de modo que a declaração da dama soou verdadeira.

— Você já escreveu para Sir Charles pedindo para ele se encontrar com você? — continuei.

A Sra. Lyons ficou vermelha de raiva novamente.

— Realmente, senhor, esta é uma questão muito inusitada.

— Sinto muito, senhora, mas devo repeti-la.

— Então eu respondo, certamente que não.

— Nem mesmo no dia da morte de Sir Charles?

O rubor desapareceu em um instante, substituído por um rosto mortalmente pálido. Seus lábios secos não podiam falar o "Não" que eu vi em vez de ouvir.

— Certamente sua memória lhe engana — disse eu. — Eu poderia até mesmo citar uma passagem de sua carta. Ela dizia: "Por favor, por favor, como você é um cavalheiro, queime esta carta e esteja no portão às dez horas".

Pensei que ela fosse desmaiar, mas recuperou-se com um esforço supremo.

— Será que não cavalheiros no mundo? — perguntou, ofegante.

— A senhora faz uma injustiça ao Sir Charles. Ele queimou a carta. Mas às vezes uma carta pode ser legível mesmo quando queimada. Então confessa que a escreveu?

— Sim, eu a escrevi! — exclamou ela, extravasando sua alma em uma torrente de palavras. — Eu a escrevi. Por que eu deveria negar isso? Não tenho motivos para sentir vergonha. Eu queria que ele me ajudasse. Pensava que, se conversássemos, poderia obter sua ajuda, por isso pedi a ele que fosse ao meu encontro.

— Mas por que àquela hora?

— Porque eu tinha acabado de saber que ele partiria para Londres no dia seguinte e poderia se ausentar por meses. Havia razões que me impediam de chegar mais cedo.

— Mas por que um encontro no jardim em vez de uma visita à casa?

— Você acha que uma mulher pode ir sozinha àquela hora à casa de um homem solteiro?

— Bem, o que aconteceu quando você chegou lá?

— Eu não fui.

— Sra. Lyons!

— Não, eu lhe juro por tudo o que considero sagrado. Não fui. Aconteceu algo que me impediu de ir.

— O que foi?

— Esse é um assunto particular. Não posso revelar.

— Você admite, então, que marcou um encontro com Sir Charles na mesma hora e no local em que ele encontrou sua morte, mas nega que tenha ido a esse encontro?

— Essa é a verdade. De novo e de novo eu a interroguei, mas não consegui nada além disso.

— Sra. Lyons — disse eu, levantando-me após essa longa e inconclusiva entrevista —, você está assumindo uma responsabilidade muito grande e se colocando em uma posição muito errada ao não confessar minuciosamente tudo o que sabe. Se eu tiver que pedir a ajuda da polícia, você vai descobrir como está seriamente comprometida. Se a senhora é inocente, por que, em primeiro lugar, negou ter escrito para Sir Charles naquela data?

— Porque eu temia que alguma conclusão errada pudesse ser tirada disso e que eu pudesse me ver envolvida em um escândalo.

— E por que você insistiu para que Sir Charles destruísse a carta?

— Se a leu, o senhor deve saber.

— Eu não disse que tinha lido toda a carta.

— Você citou parte dela.

— Citei o pós-escrito. A carta, como eu disse, foi queimada e não era toda legível. Pergunto-lhe mais uma vez por que é que você insistiu para que Sir Charles destruísse essa carta que recebeu no dia de sua morte?

— É um assunto muito particular.

— Mais um motivo para a senhora evitar uma investigação pública.

— Então vou lhe contar. Se você ouviu alguma coisa sobre minha infeliz história, sabe que me casei precipitadamente e tive motivos para me arrepender.

— Eu soube.

— Minha vida tem sido uma perseguição incessante por parte de um marido a quem detesto. A lei está do lado dele e todos os dias enfrento a possibilidade de ele me forçar a voltar a viver ao seu lado. Na época em que escrevi a carta para Sir Charles, soube que existia uma perspectiva de recuperar minha liberdade se eu pudesse arcar com certas despesas. Isso significava tudo para mim: paz de espírito, felicidade, respeito próprio... tudo. Eu conhecia a generosidade de Sir Charles e pensei que, se ele ouvisse a história de meus próprios lábios, ele me ajudaria.

— Então por que você não foi?

— Porque nesse intervalo eu recebi ajuda de outra fonte.

— Por que, então, você não escreveu para Sir Charles e lhe explicou?

— Era o que eu teria feito se não tivesse lido sobre sua morte no jornal na manhã seguinte.

A história era coerente, e nenhuma de minhas perguntas foi capaz de abalá-la. Eu só podia tentar descobrir se ela havia, de fato, movido um processo de divórcio contra o marido no momento da tragédia ou por volta dele.

Era improvável que ela se atrevesse a dizer que não fora ao Solar Baskerville se realmente tivesse ido, pois certamente precisaria de uma carruagem para levá-la até lá, e não poderia ter voltado para Coombe Tracey antes das primeiras horas da manhã. Tal excursão não poderia ter sido mantida em segredo. A probabilidade era, portanto, que ela estivesse dizendo a verdade ou, pelo menos, uma parte da verdade. Eu saí de sua casa confuso e desanimado. Mais uma vez eu me deparara com um muro alto que parecia se erguer em todos os caminhos que eu percorria em minha tentativa de alcançar o objetivo de minha missão. E, no entanto, quanto mais eu pensava no rosto e nos modos dela, mais eu sentia que alguma coisa estava sendo escondida de mim. Por que ela ficara tão pálida? Por que tentara lutar contra cada confissão até que fosse forçada a respondê-la? Por que ela deveria ter sido tão reticente no momento da tragédia? Certamente a explicação de tudo isso não podia ser tão inocente quanto ela queria que eu acreditasse. Naquele momento, eu não podia mais avançar nessa direção, e tinha de retornar àquela outra pista que devia ser procurada entre as cabanas de pedra da charneca.

E essa era uma direção muito vaga. Percebi isso na viagem de volta e observei como colina após colina mostrava vestígios do povo antigo. A única indicação de Barrymore fora que o estranho morava em uma dessas cabanas abandonadas, e centenas delas estavam salpicadas por toda a extensão da charneca. Mas eu tinha a minha própria experiência como guia, já que vira o homem em pé sozinho no alto do pico Negro. Ali, portanto, deveria ser o centro da minha pesquisa. A partir dali, eu deveria explorar cada cabana na charneca até encontrar a certa. Se esse homem estivesse dentro dela, eu descobriria de seus próprios lábios, apontando meu revólver, se necessário, quem ele era e por que ele nos perseguira por tanto tempo. Ele podia ter nos escapado em meio à multidão da Regent Street, mas isso não seria fácil na charneca deserta. Por outro lado, se eu encontrasse a cabana e seu morador não estivesse dentro dela, eu deveria permanecer lá, por mais longa que fosse a vigília, até que ele retornasse. Holmes o deixara escapar em Londres. Seria realmente um triunfo para mim se eu conseguisse capturá-lo quando meu mestre tinha fracassado.

A sorte estivera contra nós muitas vezes nessa investigação, mas finalmente veio em meu auxílio. E o mensageiro da boa sorte não foi outro senão o Sr. Frankland, que estava de pé, bigodes grisalhos e rosto vermelho, do lado de fora do portão de seu jardim, que se abria para a estrada ao longo da qual eu viajava.

— Bom dia, Dr. Watson — cumprimentou-me ele com um desusado bom humor. — Você deve realmente dar descanso aos seus cavalos e entrar para tomar um copo de vinho e me parabenizar.

Meus sentimentos em relação a ele estavam muito longe de ser amistosos depois que eu soubera da forma como havia tratado a filha, mas estava ansioso para mandar Perkins e a carruagem para casa, e a oportunidade me convinha. Desci e mandei uma mensagem para Sir Henry dizendo que eu voltaria a tempo para o jantar. Então, segui Frankland até a sala de jantar.

— É um grande dia para mim, senhor. Um dos dias mais importantes da minha vida — exclamou ele em meio a risadas. — Consegui uma dupla vitória. Quero ensinar a todos nestas bandas que lei é lei, e que há um homem aqui que não tem medo de invocá-la. Eu estabeleci um direito de passagem pelo centro do antigo parque de Middleton, bem no meio dele, a menos de cem metros de sua própria porta da frente. O que você acha? Vou ensinar a esses magnatas que eles não podem atropelar os direitos dos cidadãos comuns! E fechei o bosque onde o pessoal de Fernworthy costumava fazer piquenique. Essas pessoas infernais parecem pensar que não há direitos de propriedade, e que eles podem invadir o lugar em grande número com seus papéis e garrafas. Ambos os casos foram resolvidos, Dr. Watson, e ambos a meu favor. Eu não tenho um dia como esse desde que consegui a condenação de Sir John Morland por violação da propriedade alheia por ele ter atirado em suas próprias terras.

— Mas por que diabos você fez isso?

— Consulte os autos, senhor. Vale a pena ler. Frankland versus Morland, Tribunal Superior de Justiça. Custaram-me duzentas libras, mas recebi o meu veredicto.

— Teve alguma vantagem com isso?

— Nenhuma, senhor, nenhuma. Tenho orgulho de dizer que não tinha nenhum interesse no assunto. Eu ajo inteiramente por conta do dever cívico. Não tenho dúvidas, por exemplo, de que o povo de Fernworthy me queimará em efígie esta noite. Da última vez que fizeram isso, eu disse à polícia que ela deveria parar essas exibições vergonhosas. A polícia do condado anda em um estado lastimável, senhor, e não me oferece a proteção a que tenho direito. O caso Frankland versus Regina levará o assunto à atenção do público. Eu disse a eles que teriam a oportunidade de se arrepender do tratamento que me deram, e minhas palavras já se tornaram realidade.

— Como assim? — perguntei.

O velho assumiu uma expressão muito astuta.

— Porque eu poderia lhes contar o que estão loucos para saber, mas nada vai me induzir a ajudar esses patifes de novo.

Eu estivera procurando alguma desculpa para escapar de suas fofocas, mas comecei a desejar ouvir mais. Já tinha visto o suficiente da natureza caprichosa do velho pecador para entender que qualquer sinal forte de interesse seria o caminho mais seguro para parar suas confidências.

— Algum caso de caça furtiva, sem dúvida? — perguntei de maneira indiferente.

— Ah, meu rapaz, um assunto muito mais importante do que esse! O que me diz do prisioneiro na charneca?

Tive um sobressalto.

— Não vá me dizer que sabe onde ele está? — indaguei.

— Posso não saber exatamente onde ele está, mas tenho certeza de que poderia ajudar a polícia a apanhá-lo. Nunca lhe ocorreu que o jeito de pegar aquele homem seria descobrir onde ele consegue sua comida e, assim, rastreá-la até ele?

Ele certamente, para nosso desconforto, parecia estar chegando perto da verdade.

— Sem dúvida — respondi. — Mas como sabe que ele está em algum lugar na charneca?

— Sei disso porque vi com os meus próprios olhos o mensageiro que leva sua comida.

Meu coração se apiedou de Barrymore. Era uma coisa séria ficar nas garras desse velho intrometido e rancoroso. Mas sua próxima observação tirou um peso da minha mente.

— O senhor ficará surpreso ao ouvir que quem lhe leva a comida é uma criança. Eu o vejo todos os dias com meu telescópio lá no telhado. Ele passa pelo mesmo caminho na mesma hora, e com quem ele iria se encontrar, senão com o prisioneiro?

A sorte estava mesmo me sorrindo! E, no entanto, reprimi qualquer manifestação de interesse. Uma criança! Barrymore dissera que nosso desconhecido era fornecido por um menino. Foi com a pista deste, e com a do prisioneiro, que Frankland topara. Inteirando-me do que ele sabia, eu poderia ser poupado de uma longa e cansativa caçada. Mas incredulidade e indiferença eram evidentemente meus artifícios mais fortes.

— Devo dizer que provavelmente seja o filho de um dos pastores da charneca levando a comida de seu pai.

O menor indício de oposição bastava para deixar o velho autocrata em polvorosa. Ele me lançou um olhar maligno, e seus bigodes grisalhos eriçaram-se como os de um gato raivoso.

— De fato, senhor! — exclamou ele, apontando para a larga charneca. — Você vê aquele pico negro lá longe? Bem, você vê a colina abaixo com o espinheiro sobre ela? É a parte mais pedregosa de toda a charneca. Que pastor se instalaria em um lugar assim? Sua sugestão, senhor, me parece extremamente absurda.

Eu docilmente respondi que tinha falado sem conhecer todos os fatos. Minha submissão o agradou e o levou a mais confidências.

— Pode ter certeza, senhor, de que me fundamento em bases muito sólidas antes de chegar a uma opinião. Eu vi o menino muitas vezes com seu pacote. Todos os dias, e às vezes duas vezes por dia, fui capaz de ver... Mas espere um momento, Dr. Watson. Meus olhos me enganam, ou há algo se movendo, neste exato momento, naquela encosta?

Estávamos a vários quilômetros de distância, mas eu podia ver distintamente um pequeno ponto escuro contra o verde e o cinza foscos.

— Venha, senhor, venha! — gritou Frankland, correndo escada acima. — Você vai ver com seus próprios olhos e julgar por si mesmo.

O telescópio, um instrumento formidável montado sobre um tripé, ficava sobre as folhas de chumbo do telhado. Frankland espiou pelo telescópio e deu um grito de satisfação.

— Rápido, Dr. Watson, rápido, antes que ele passe para o outro lado da colina!

Lá estava ele, sem dúvida alguma, um garotinho com um pequeno embrulho no ombro, subindo lentamente a colina. Quando alcançou o cume, vi a figura rudimentar e esfarrapada delineada por um instante contra o frio céu azul. Observou os arredores com um ar furtivo, como alguém que teme ser seguido. Então, desapareceu no outro lado da colina.

— E então? Estou certo?

— Sem dúvida e o menino parece ter alguma missão secreta.

— E que missão é essa, até mesmo um guarda do condado poderia adivinhar. Mas nem uma palavra eles terão de mim, e quero que se comprometa a manter sigilo também, Dr. Watson. Nenhuma palavra! Compreende?

— Como o senhor desejar.

— Eles me trataram de maneira vergonhosa, vergonhosa. Quando os fatos vierem à luz em Frankland versus Regina, eu me atrevo a pensar que a indignação se espalhará por todos os lados. De qualquer maneira, nada me induziria a ajudar a polícia. Eles não teriam dado à mínima se eu mesmo, em vez de minha efígie, tivesse sido queimado na fogueira por esses patifes. Mas certamente o senhor não está indo! Vai me ajudar a esvaziar a garrafa em homenagem a esta grande ocasião!

Resisti a todos os seus apelos e consegui dissuadi-lo de sua intenção de me acompanhar até o Solar. Mantive-me na estrada enquanto ele ficou de olho em mim, e então atravessei a charneca e fui para a colina de pedra sobre a qual o garoto tinha desaparecido. Tudo estava funcionando a meu favor, e jurei que não ia ser por falta de energia ou perseverança que eu perderia a chance que a sorte jogara no meu caminho.

O sol já se punha quando cheguei ao topo da colina, e as longas encostas abaixo de mim eram de um verde-dourado de um lado e mergulhadas na sombra do outro. Uma névoa se estendia sobre a linha do horizonte, da qual sobressaíam as formas fantásticas dos picos Belliver e Vixen. Em toda a vastidão da charneca, não tinha nenhum som ou movimento. Um grande pássaro cinzento, uma gaivota ou maçarico, pairava alto no céu azul. Ele e eu parecíamos ser os únicos seres vivos entre o enorme arco do céu e o deserto abaixo dele. A cena inóspita, a sensação de solidão, o mistério e a urgência da minha tarefa enregelaram meu coração. O menino não podia ser visto em lugar nenhum. Mas, abaixo de mim, em uma fenda das colinas, tinha um círculo de velhas cabanas de pedra, e no meio delas notei uma que conservara uma parte suficiente de teto para servir de proteção contra as intempéries. Meu coração deu um salto quando a vi. Devia ser aquela a toca onde o estranho se escondia. Finalmente eu estava com o meu pé na soleira de seu esconderijo; seu segredo estava ao meu alcance.

Ao me aproximar da cabana, andando com cautela, como Stapleton fazia quando, com a rede equilibrada, aproximava-se de uma borboleta, fiquei satisfeito de constatar que o lugar realmente fora usado como habitação. Um trilha entre os pedregulhos levava à abertura dilapidada que servia de porta. Dentro, tudo estava em silêncio. O desconhecido podia estar escondido ali, ou podia estar andando a esmo na charneca. Meus nervos formigaram com a sensação de aventura. Jogando fora meu cigarro, fechei a mão no cano do meu revólver e, caminhando rapidamente até a porta, olhei para dentro. A cabana estava vazia.

Mas havia amplos sinais de que eu não estava seguindo uma pista falsa. Este era certamente o lugar em que o homem vivia. Algumas mantas enroladas em uma capa impermeável jaziam sobre a mesma laje de pedra sobre a qual o homem neolítico dormira outrora. As cinzas de uma fogueira estavam amontoadas em uma grelha rústica. Ao lado, havia alguns utensílios de cozinha e um balde com água pela metade. Uma pilha de latas vazias mostrava que o lugar tinha sido ocupado por

algum tempo, e, quando meus olhos se acostumaram à escuridão, vi uma canequinha e uma garrafa semicheia de bebida alcoólica em um canto. No meio da cabana, uma pedra chata servia como mesa, e sobre ela tinha um pequeno embrulho de pano, o mesmo, sem dúvida, que eu tinha visto através do telescópio no ombro do menino. Continha um pedaço de pão, uma lata com língua em conserva e duas latas de pêssegos em conserva. Quando coloquei de novo o embrulho na pedra, depois de examiná-lo, meu coração saltou ao ver que por baixo havia uma folha de papel com algo escrito. Ergui-a e li, rabiscado a lápis:
O Dr. Watson foi a Coombe Tracey.

Por alguns instantes fiquei ali parado com o papel em minhas mãos, pensando no significado dessa breve mensagem. Era eu, portanto, e não Sir Henry, que estava sendo perseguido por esse homem misterioso. Ele não tinha me seguido sozinho, mas tinha colocado um agente, talvez o menino, no meu rastro, e esse era o seu relatório. Possivelmente, eu não tinha dado nenhum passo desde que chegara à charneca, que não tivesse sido observado e relatado. Lembrei-me daquela sensação de uma força desconhecida, uma fina rede lançada em volta de mim com infinita habilidade e delicadeza, segurando-me tão levemente que foi apenas em algum momento supremo que percebi que realmente estava emaranhado em suas malhas.

Se existia esse relatório, podia ter outros, então vasculhei a cabana em busca deles. Não vi nenhum vestígio, no entanto, de qualquer coisa desse tipo, e tampouco pude descobrir qualquer sinal que pudesse indicar o caráter ou as intenções do homem que vivia nesse local singular, a não ser que devia ter hábitos espartanos e dar pouca importância aos confortos da vida. Quando me lembrei das fortes chuvas e olhei para o telhado aberto, entendi o quão forte e imutável devia ser o propósito que o mantinha nesta morada inóspita. Seria ele nosso inimigo malévolo ou seria por acaso nosso anjo da guarda? Eu jurei não sair da cabana até descobrir.

Do lado de fora, o sol se punha e o oeste ardia em rubro e ouro. Seu reflexo era lançado de volta em manchas avermelhadas pelas lagoas distantes que ficavam no meio do grande charco de Grimpen. Lá estavam as duas torres do Solar Baskerville, e mais além um distante borrão de fumaça que marcava a aldeia de Grimpen. Entre os dois, atrás da colina, ficava a casa dos Stapleton. Tudo era doce, suave e pacífico na luz dourada da noite, e ainda assim, ao olhar para aquela vista, minha alma não compartilhava da paz da natureza, mas tremia diante da imprecisão e do terror daquele encontro que se aproximava a cada instante. Com os nervos à flor da pele, mas resoluto, sentei-me no recesso escuro da cabana e esperei com paciência a chegada de seu morador.

E então finalmente eu o ouvi. De longe, veio o ruído de uma bota que golpeava uma pedra. Então outro e ainda outro, chegando cada vez mais perto. Recuei de volta para o canto mais escuro e engatilhei a pistola no bolso, determinado a não me mostrar até ter a oportunidade de ver alguma coisa do estranho. Houve uma longa pausa que mostrou que ele tinha parado. Então, mais uma vez, os passos se aproximaram e uma sombra caiu sobre a abertura da cabana.

— Está uma tarde linda, meu caro Watson — disse uma voz muito conhecida. — Tenho certeza de que você se sentirá mais confortável aqui fora do que aí dentro.

CAPÍTULO XII

Morte na charneca

Por um momento ou dois, fiquei sem fôlego, mal conseguindo acreditar nos meus ouvidos. Então meus sentidos e minha voz voltaram, enquanto um peso esmagador de responsabilidade parecia ter sido tirado dos meus ombros. Aquela voz fria, incisiva e irônica poderia pertencer a apenas um homem em todo o mundo.

— Holmes! — exclamei. — Holmes!

— Saia — disse ele. — E, por favor, tenha cuidado com o revólver.

Inclinei-me sob o rude lintel, e fui me encontrar com ele lá fora, sentado em uma pedra, seus olhos cinzentos dançando com diversão quando viu meu semblante espantado. Estava magro, exausto, mas lúcido e alerta, seu rosto bronzeado pelo sol e maltratado pelo vento. Vestido com um terno de tweed e chapéu de pano, ele parecia com qualquer outro turista visitando a charneca, e tinha conseguido, com aquele amor felino pela limpeza pessoal, que era uma de suas características, manter seu queixo tão liso e sua roupa branca tão impecável como se estivesse em Baker Street.

— Eu nunca fiquei mais feliz em ver alguém na minha vida — disse eu, enquanto lhe cumprimentava.

— Ou mais surpreso, hein?

— Bem, devo confessar que sim.

— A surpresa não foi só de um lado, garanto-lhe. Não fazia ideia de que você tinha encontrado meu abrigo ocasional, menos ainda que você estivesse dentro dele, até que cheguei a vinte passos da porta.

— Minha pegada, presumo?

— Não, Watson, temo não conseguir reconhecer sua pegada entre todas as pegadas do mundo. Se você quiser mesmo me enganar, deve mudar de tabacaria. Quando vejo o toco de um cigarro marcado Bradley, Oxford Street, sei que meu amigo Watson está por perto. Está bem ali ao lado da trilha. Você jogou o cigarro no chão, sem dúvida, naquele momento supremo quando entrou na cabana vazia.

— Exatamente.

— Foi o que pensei... e conhecendo sua admirável tenacidade, fiquei convencido de que você estava de tocaia, com uma arma à mão, esperando o morador retornar. Então você realmente achou que eu era o criminoso?

— Eu não sabia quem você era, mas estava determinado a descobrir.

— Excelente, Watson! E como me localizou? Você me viu, talvez, na noite da caçada ao prisioneiro, quando fui tão imprudente a ponto de permitir que a lua surgisse atrás de mim?

— Sim, eu o vi naquele momento.

— E certamente procurou em todas as cabanas até chegar a esta aqui?

— Não, seu menino foi observado e isso me deu uma pista de onde procurar.

— O velho cavalheiro com o telescópio, sem dúvida. Eu não consegui entender o que era quando vi a luz brilhando na lente pela primeira vez. — Ele se levantou e espiou o interior da cabana. — Ah, vejo que Cartwright trouxe algumas provisões. Que papel é esse? Então você esteve em Coombe Tracey?

— Estive.

— Para ver a Sra. Laura Lyons?

— Exatamente.

— Muito bem! Nossas pesquisas têm evidentemente corrido em linhas paralelas e, quando juntarmos nossos resultados, espero que tenhamos um conhecimento bastante completo do caso.

— Bem, sinto-me realmente contente por você estar aqui, pois de fato a responsabilidade e o mistério estavam se tornando excessivos para os meus nervos. Mas como é que veio parar aqui, e o que você anda fazendo? Pensei que estava em Baker Street, desvendando aquele caso de chantagem.

— Era isso que eu queria que pensasse.

— Então você me usa, mas mesmo assim não confia em mim! — exclamei com certa amargura. — Acho que mereço coisa melhor de você, Holmes.

— Meu caro amigo, você tem sido inestimável para mim neste, como em muitos outros casos, e eu imploro que você me perdoe se parece que lhe preguei uma peça. Na verdade, foi em parte para o seu próprio bem que fiz isso, e foi minha avaliação do perigo que você corria que me fez vir examinar o assunto por mim mesmo. Se eu estivesse com Sir Henry e com você, é claro que o meu ponto de vista teria sido o mesmo que o seu, e minha presença teria induzido nossos terríveis adversários a ficarem alertas. Da maneira que agi, pude andar por aí como possivelmente não teria podido se estivesse morando no Solar, e continuo sendo um fator surpresa no caso, pronto para investir com toda a minha força em um momento crítico.

— Mas por que esconder isso de mim?

— O fato de você saber não poderia ter nos ajudado, e possivelmente teria revelado a minha presença. Você teria desejado me contar alguma coisa, ou, com a sua gentileza, teria me trazido algum conforto ou outro, e assim correríamos um risco desnecessário. Trouxe Cartwright comigo; você se lembra do rapazinho na agência de mensageiros? Ele cuidou das minhas necessidades básicas: um pedaço de pão e um colarinho limpo. Que mais quer um homem? Ele me proporcionou um par extra de olhos sobre um par de pés muito ativo, e ambos foram inestimáveis.

— Então meus relatórios foram todos inúteis!

Minha voz tremeu quando me lembrei do esmero e do orgulho com que os compusera.

Holmes pegou um maço de papéis do bolso.

— Aqui estão os seus relatórios, meu caro amigo, e muito manuseados, eu lhe asseguro. E por causa deles tomei providências excelentes, e eles só chegaram com um dia de atraso. Devo cumprimentá-lo calorosamente pelo zelo e a inteligência que você demonstrou em um caso extraordinariamente difícil.

Eu ainda estava bastante magoado com a decepção que me fora causada, mas o calor do elogio de Holmes tirou a raiva da minha mente. Senti também em meu coração que ele estava certo no que dissera e que era realmente melhor para o nosso propósito que eu não soubesse que ele estava na charneca.

— Assim está melhor — disse ele, vendo que minha expressão desanuviara. — Agora me diga o resultado da sua visita à Sra. Laura Lyons. Não tive dificuldade para adivinhar que você foi até lá para vê-la, pois já estou ciente de que ela é a única pessoa em Coombe Tracey que pode ser útil para nosso caso. Na verdade, se você não tivesse ido hoje, é extremamente provável que eu tivesse ido amanhã.

O sol se escondera e o crepúsculo caía sobre a charneca. O ar ficou frio e nós nos retiramos para a cabana em busca de calor. Ali, sentados juntos na penumbra, contei a Holmes minha conversa com a dama. Ele ficou tão interessado que tive que contar parte dela duas vezes antes de ele ficar satisfeito.

— Isso é de extrema importância — disse ele depois que concluí o relato. — Isso preenche uma lacuna que eu não consegui superar, neste caso tão complexo. Você está ciente de que talvez exista uma estreita intimidade entre essa senhora e aquele Stapleton?

— Não sabia que eles tinham uma estreita intimidade.

— Não há dúvidas quanto a isso. Eles se encontram, se correspondem, há um completo entendimento entre os dois. Ora, esse fato coloca uma arma muito poderosa em nossas mãos. Se eu pudesse usá-la para desvencilhar a mulher dele...

— A mulher dele?

— Estou lhe dando algumas informações agora, em troca de tudo o que você me deu. A senhora que aqui se passa por Srta. Stapleton é, na realidade, a esposa dele.

— Bom Deus, Holmes! Tem certeza do que você diz? Como ele pôde ter permitido que Sir Henry se apaixonasse por ela?

— O fato de Sir Henry se apaixonar não podia fazer mal a ninguém, exceto ao próprio Sir Henry. Ele tomou muito cuidado para que Sir Henry não fizesse juras de amor a ela, como você mesmo observou. Repito que a dama é sua esposa, e não sua irmã.

— Mas por que essa farsa tão elaborada?

— Porque ele previu que ela seria muito mais útil para ele na condição de uma mulher livre.

Todos os meus instintos não formulados, minhas vagas desconfianças, de repente tomaram forma e se centraram no naturalista. Nesse homem impassível, sem cor, com seu chapéu de palha e sua rede para caçar borboletas, tive a impressão de ver algo terrível, uma criatura de infinita paciência e astúcia, de rosto sorridente e coração assassino.

— É ele, então, que é nosso inimigo. Foi ele quem nos seguiu em Londres?

— É assim que interpreto o enigma.

— E a advertência... deve ter vindo dela!

— Exatamente.

A forma de alguma vilania monstruosa, meio vista, meio adivinhada, pairou em meio à escuridão que me circundava havia tanto tempo.

— Mas tem certeza disso, Holmes? Como você sabe que a mulher é a esposa dele?

— Porque ele se distraiu a ponto de lhe contar um trecho verdadeiro de sua autobiografia quando se encontraram pela primeira vez, e imagino que se arrependeu disso muitas vezes desde então. Ele foi outrora diretor de um colégio no norte da Inglaterra. Ora, não há nada mais fácil do que rastrear o diretor de um colégio. Existem agências escolares por meio das quais se pode identificar qualquer homem que tenha exercido a profissão. Uma pequena investigação me mostrou que uma escola fechou as portas em circunstâncias atrozes, e que seu proprietário, o nome era diferente, tinha desaparecido com a esposa. As descrições batiam. Quando eu soube que o homem desaparecido era dedicado à entomologia, a identificação estava completa.

A escuridão se dissipava, mas ainda tinha muita coisa escondida pelas sombras.

— Se essa mulher é, na verdade, sua esposa, onde entra a Sra. Laura Lyons? — perguntei.

— Esse é um dos pontos sobre os quais suas próprias investigações lançaram uma luz. Sua entrevista com a dama esclareceu muito a situação. Eu não tinha conhecimento de que ela e o marido pretendiam se divorciar. Nesse caso, considerando Stapleton como um homem solteiro, ela certamente esperava se tornar sua esposa.

— E quando ela se desiludir?

— Então, poderá vir a nos ser útil. Nossa primeira tarefa será procurá-la amanhã, nós dois. Você não acha, Watson, que já passou muito tempo longe de seu protegido? Seu lugar é no Solar Baskerville. As últimas faixas vermelhas tinham desaparecido no oeste e a noite se instalara na charneca. Algumas estrelas fracas brilhavam no céu violeta.

— Uma última pergunta, Holmes — disse eu ao me levantar. — Certamente não há nenhuma necessidade de segredo entre mim e você. Qual é o sentido de tudo isso? O que ele quer?

Holmes baixou a voz ao responder:

— É assassinato, Watson, um assassinato deliberado, refinado e a sangue-frio. Não me peça detalhes. Minhas redes estão se fechando sobre ele, assim como as dele sobre Sir Henry, e com sua ajuda ele já está quase em minhas mãos. Existe apenas um perigo que pode nos ameaçar. É que ele ataque antes de estarmos prontos para fazê-lo. Mais um dia, no máximo dois, e vou ter o caso completo. Mas, até lá, cuide de seu protegido com o mesmo desvelo que uma mãe carinhosa vela seu filho doente. Sua missão hoje se justificou e, no entanto, eu quase poderia desejar que você não tivesse saído do lado dele. Ouça!

Um grito terrível, um prolongado uivo de horror e angústia, irrompeu do silêncio da charneca. O sangue gelou em minhas veias.

— Meu Deus! — exclamei, ofegante. — O que é isso? O que isso significa?

Holmes levantou-se de um salto e eu vi seu contorno escuro e atlético na porta da cabana, os ombros curvados, a cabeça para frente, o rosto espiando a escuridão.

— Silêncio! — sussurrou ele. — Silêncio!

O grito tinha sido alto em razão de sua veemência, mas saíra de algum lugar bem distante da planície sombria. E agora tinha explodido em nossos ouvidos, mais perto, mais alto, mais urgente do que antes.

— De onde saiu isso? — sussurrou Holmes e eu sabia, pela emoção de sua voz, que ele, o homem de ferro, estava profundamente abalado.

— Onde foi isso, Watson?

— Ali, eu acho — respondi e apontei para a escuridão.

— Não. Lá!

Mais uma vez o grito angustiado quebrou o silêncio da noite, mais alto e mais próximo do que nunca. E um novo som misturou-se com ele, um murmúrio profundo e musical, ainda que ameaçador, subindo e descendo como o murmúrio baixo e constante do mar.

— O cão! — exclamou Holmes. — Venha, Watson, venha! Deus queira que não cheguemos tarde demais!

Ele tinha começado a correr rapidamente pela charneca, e eu nos seus calcanhares. Mas agora, de algum lugar no terreno acidentado imediatamente à nossa frente, veio um último grito desesperado e, depois, um baque surdo e pesado. Nós paramos e ouvimos. Nenhum outro som quebrou o pesado silêncio da noite sem vento.

Vi Holmes levar a mão à testa, como um homem perturbado. Ele bateu com os pés no chão.

— Ele nos derrotou, Watson. Estamos muito atrasados.

— Não, não, certamente que não!

— Como fui tolo em me conter! E você, Watson, veja o que aconteceu por abandonar seu protegido! Mas, por Deus, se o pior aconteceu, nós vamos vingá-lo!

Cegamente, corremos pela escuridão, topando contra pedregulhos, forçando nosso caminho em meio a arbustos de tojo, ofegando colinas acima e correndo encostas abaixo, sempre na direção de onde aqueles sons horríveis tinham vindo. Em cada elevação, Holmes olhava ansiosamente à sua volta, mas a escuridão era densa sobre a charneca, e nada se movia em sua face árida.

— Consegue ver alguma coisa?

— Nada.

— Mas, ouça, o que é isso?

Um gemido baixo chegou aos nossos ouvidos. Lá estava novamente, à nossa esquerda! Naquele lado, uma cadeia de rochedos terminava em um penhasco escarpado, que dominava uma encosta pedregosa. Sobre sua face recortada esparramava-se um objeto escuro e irregular. Enquanto corríamos em direção a ele, o contorno vago assumiu uma forma definida. Era um homem prostrado de bruços no chão, a cabeça enfiada sob o corpo em um ângulo horrível, os ombros encolhidos e o corpo curvado como se estivesse dando uma cambalhota. Era uma postura tão grotesca que no momento não compreendi que aquele gemido fora o passamento de sua alma. Nem um sussurro, nem um farfalhar se erguiam agora da figura escura sobre a qual nos debruçávamos. Holmes pousou a mão sobre ele e ergueu-a novamente, com uma exclamação de horror. A débil chama do fósforo que acendeu brilhou em seus dedos e na poça de sangue horripilante que se alargava lentamente a partir do crânio esmagado da vítima. E brilhou sobre mais alguma coisa que fez nosso coração afundar no peito: o corpo de Sir Henry Baskerville!

Nenhum de nós poderia ter esquecido aquele peculiar terno de *tweed* avermelhado, o mesmo que ele usara naquela primeira manhã em que o víramos em Baker Street. Pudemos vê-lo de relance, antes que a chama do fósforo tremesse e se apagasse, no momento em que a esperança abandonava as nossas almas. Holmes gemeu e seu rosto pálido brilhou na escuridão.

— O animal! O animal! — gritei, com os punhos cerrados. — Oh, Holmes, nunca me perdoarei por tê-lo abandonado à própria sorte.

— Sou mais culpado do que você, Watson. Para ter meu caso bem amarrado e completo, joguei fora a vida do meu cliente. É o maior golpe que aconteceu em minha carreira. Mas como eu poderia saber, como eu poderia saber, que ele se arriscaria sozinho à noite na charneca apesar de todas as minhas advertências?

— E pensar que ouvimos seus gritos! Meu Deus, aqueles gritos! E, ainda assim, fomos incapazes de salvá-lo! Onde estará esse pérfido cão que o levou à morte? Talvez escondido entre essas pedras enquanto falamos. E Stapleton, onde ele está? Ele vai ter que responder pelo seu ato.

— Ele vai. Cuidaremos disso. Tio e sobrinho foram assassinados; um apavorado até a morte pela simples visão de um animal que pensou ser sobrenatural, o outro conduzido para seu fim em uma fuga para escapar dele. Mas agora temos que provar a conexão entre o homem e a besta. Salvo pelo que ouvimos, não podemos sequer jurar a existência deste último, uma vez que Sir Henry, evidentemente, morreu da queda. Mas, por Deus, por mais astuto que ele seja, o sujeito estará em meu poder antes que se passe mais um dia!

Com o coração dilacerado, abalados por esse súbito e irrevogável desastre que punha fim de maneira tão lastimável a todos os nossos longos e cansativos esforços, postamo-nos de cada lado do corpo desfigurado Então, à medida que a lua surgia, subimos até o topo da rocha de onde nosso pobre amigo tinha caído, e do cume olhamos para a charneca sombria, em parte prateada e em parte escura. Ao longe, a quilômetros de distância, na direção de Grimpen, uma única luz amarela constante brilhava. Só podia vir da morada solitária dos Stapleton. Com uma maldição amarga, agitei o punho enquanto a olhava.

— Por que não o agarramos imediatamente?

— Nosso caso não está completo. O sujeito é cauteloso e astuto no mais elevado grau. Não se trata do que sabemos, mas do que podemos provar. Se fizermos um movimento em falso, pode ser que o patife escape.

— O que podemos fazer?

— Haverá muito a fazer amanhã. Hoje só podemos executar os últimos serviços ao nosso pobre amigo.

Juntos, descemos a encosta íngreme e nos aproximamos do corpo, negro e nítido contra as pedras prateadas. A agonia daqueles membros contorcidos causou-me um espasmo de dor e encheu meus olhos de lágrimas.

— Precisamos pedir ajuda, Holmes! Não podemos levá-lo até o Solar. Bom Deus, você está louco?

Ele soltara um grito e se inclinara sobre o corpo. Agora ele estava dançando e rindo e apertando minha mão. Seria aquele meu amigo severo e reservado? Essa realmente era uma face oculta!

— Uma barba! Uma barba! O homem tem uma barba!

— Uma barba?

— Não é o baronete! É... é o meu vizinho, o prisioneiro!

Viramos o corpo com uma pressa febril, e a barba encharcada apontou para a lua fria e clara. Não restava dúvida quanto à testa saliente, os olhos fundos, animalescos. Era, de fato, o mesmo rosto que brilhara sobre mim à luz da vela de cima da pedra; o rosto de Selden, o prisioneiro.

Então, em um instante, tudo ficou claro para mim. Lembrei-me de como o baronete me dissera que tinha entregado seu antigo guarda-roupa a Barrymore. Este entregara as roupas adiante para ajudar Selden em sua fuga. Botas, camisa, boné, era tudo de Sir Henry. A tragédia ainda era bastante lúgubre, mas esse homem pelo menos merecia a morte pelas leis de seu país. Contei a Holmes o que acontecera, meu coração fervilhando de gratidão e alegria.

— Então as roupas foram a causa da morte do pobre diabo — disse ele. — Não há dúvida de que deram ao cão algum artigo de Sir Henry para cheirar, muito provavelmente a bota que foi furtada no hotel, e assim ele partiu em perseguição a esse homem. Há uma coisa muito singular, no entanto: como Selden, na escuridão, soube que o cão estava em seu rastro?

— Ele o ouviu.

— Ouvir um cão na charneca não lançaria um homem endurecido como este prisioneiro em tal estado de terror a ponto de ele se arriscar a ser recapturado gritando desesperadamente por ajuda. Pelos seus gritos, ele deve ter corrido muito depois de saber que o cão o perseguia. Como ficou sabendo?

— Um maior mistério para mim é por que esse cão, presumindo que todas as nossas conjecturas estejam corretas...

— Eu não presumo nada.

— Bem, então por que esse cão estaria solto hoje à noite? Suponho que ele não corra sempre solto pela charneca. Stapleton não o soltaria a menos que tivesse razões para pensar que Sir Henry estaria lá.

— A minha dificuldade aqui é a maior das duas, pois acho que em breve obteremos uma explicação para a sua, enquanto a minha pode permanecer para sempre um mistério. A questão agora é: o que faremos com o corpo deste pobre coitado? Não podemos deixar aqui para as raposas e os corvos.

— Eu sugiro que nós coloquemos em uma das cabanas até que possamos nos comunicar com a polícia.

— Exatamente. Não tenho dúvidas de que você e eu podemos carregá-lo até lá. Mas quem vem lá, Watson? É o homem em pessoa, por mais assombroso e atrevido que isso pareça! Nem uma palavra que mostre suas suspeitas... nem uma palavra ou meus planos vão por água abaixo.

Um vulto se aproximava de nós pela charneca, e vi o fulgor vermelho e fosco de um charuto. A lua o iluminava, e consegui distinguir a forma garbosa e o andar saltitante do naturalista. Quando nos viu, ele parou, e então continuou a se aproximar.

— Ora, Dr. Watson, é mesmo o senhor? Você é o último homem que eu podia esperar ver na charneca a essa hora da noite. Mas, meu Deus, o que é isso? Alguém se machucou? Não, não me diga que é nosso amigo Sir Henry!

Ele passou apressado por mim e se inclinou sobre o homem morto. Ouvi uma exclamação aguda e o charuto caiu de seus dedos.

— Quem... quem é esse? — gaguejou.

— É Selden, o homem que fugiu de Princetown.

Stapleton virou um rosto lívido para nós, mas, por um esforço supremo, foi capaz de esconder sua surpresa e seu desapontamento. Ele olhou nitidamente de Holmes para mim.

— Meu Deus! Que coisa horrorosa! Como ele morreu?

— Ele parece ter quebrado o pescoço ao cair desses rochedos. Meu amigo e eu estávamos passeando na charneca quando ouvimos um grito.

— Eu também ouvi um grito. Foi por isso que vim até aqui. Eu estava preocupado com Sir Henry.

— Por que com Sir Henry em particular? — não pude deixar de perguntar.

— Porque eu sugeri que ele viesse nos visitar. Quando ele não veio, fiquei surpreso, e naturalmente fiquei alarmado por sua segurança quando ouvi gritos na charneca. A propósito — seus olhos dispararam de novo do meu rosto para o de Holmes — vocês ouviram mais alguma coisa além de um grito?

— Não — respondeu Holmes. — O senhor ouviu?

— Não.

— Por que a pergunta, então?

— Oh, os senhores conhecem as histórias que os camponeses contam sobre um cão fantasma, e assim por diante. Dizem que o ouvem à noite na charneca. Estava pensando se teria havido algum indício desse som hoje à noite.

— Não ouvimos nada desse tipo — disse eu.

— E qual é sua teoria sobre a morte deste pobre homem?

— Não tenho dúvida de que a ansiedade e a exposição às intempéries foram suficientes para deixá-lo louco. Ele correu desvairado pela charneca, e acabou caindo aqui e quebrando o pescoço.

— Parece a teoria mais razoável — disse Stapleton, e deu um suspiro que, a meu ver, indicava seu alívio. — Que pensa sobre isso, Sr. Sherlock Holmes?

Meu amigo curvou-se em um cumprimento.

— O senhor é rápido na identificação — disse ele.

— Nós esperamos por você desde que o Dr. Watson veio para cá. Você chegou a tempo de ver uma tragédia.

— Sim, de fato. Não tenho dúvidas de que a explicação do meu amigo cobrirá os fatos. Vou levar uma lembrança desagradável a Londres comigo amanhã.

— Oh, você volta amanhã?

— Essa é a minha intenção.

— Espero que a sua visita tenha lançado alguma luz sobre as ocorrências que nos deixaram tão perplexos.

Holmes encolheu os ombros.

— Nem sempre se pode ter o sucesso pelo qual se espera. Um investigador precisa de fatos e não de lendas ou rumores. Não foi um caso satisfatório.

Meu amigo falou de uma maneira franca e desinteressada. Stapleton ainda o fitava intensamente. Então, ele se virou para mim.

— Eu sugeriria que levássemos esse pobre homem para minha casa, mas minha irmã ficaria tão atemorizada que sinto que não tenho o direito de fazê-lo. Acho que, se colocarmos alguma coisa no rosto dele, ele estará a salvo até o amanhecer.

E assim foi feito. Resistindo à oferta da hospitalidade de Stapleton, Holmes e eu partimos para Solar Baskerville, deixando o naturalista voltar sozinho para casa. Olhando para trás, vimos a figura se afastando lentamente pela charneca e, atrás dele, uma mancha negra na encosta prateada que mostrava onde jazia o homem que encontrara a morte de forma tão terrível.

CAPÍTULO XIII
Armando as redes

— Estamos finalmente próximos — disse Holmes enquanto caminhávamos juntos pela charneca. — Que nervos esse sujeito tem! Como ele recobrou o autocontrole diante do que deve ter sido um choque paralisante, quando descobriu que o homem errado tinha sido a vítima de sua trama. Eu lhe disse em Londres, Watson, e lhe digo agora, que nunca tivemos um inimigo mais digno para a nossa espada.

— Eu sinto muito que ele tenha visto você.

— A princípio, eu também lamentei. Mas não tinha como evitar.

— Que efeito você acha que terá nos planos de Stapleton agora que ele sabe que você está aqui?

— Isso pode fazer com que ele fique mais cauteloso, ou pode levá-lo a medidas desesperadas de imediato. Como a maioria dos criminosos inteligentes, ele pode estar confiante demais em sua própria esperteza e imaginar que nos enganou por completo.

— Por que não o prendemos imediatamente?

— Meu caro Watson, você nasceu para ser um homem de ação. Seu instinto é sempre tomar uma atitude enérgica. Mas vamos supor, para efeito de raciocínio, que o prendêssemos esta noite. Do que nos adiantaria? Nós não podemos provar nada contra ele. Há uma astúcia diabólica neste caso! Se ele estivesse agindo por meio de um agente humano, poderíamos obter algumas provas, mas se formos arrastar esse grande cão para a luz do dia, isso não nos ajudaria a colocar uma corda no pescoço de seu dono.

— Certamente nós temos base para um processo.

— Temos apenas suposições e conjecturas. Seríamos expulsos do tribunal às risadas se chegássemos com tale história e tais evidências.

— Há a morte de Sir Charles.

— Encontrado morto sem uma marca sobre si. Você e eu sabemos que ele morreu de puro medo e também sabemos o que o assustou. Mas como conseguiremos convencer doze impassíveis jurados? Que sinais há de um cão? Onde estão as marcas de suas presas? É claro que sabemos que um cão não morde um cadáver e que Sir Charles estava morto antes que a criatura o alcançasse. Mas temos que provar tudo isso e não estamos em condições de fazê-lo.

— Mas e esta noite?

— Não estamos em situação muito melhor esta noite. Novamente, não existe nenhuma conexão direta entre o cão e a morte do homem. Nós nunca vimos o cão. Nós apenas o ouvimos. Mas não teríamos como provar que estava perseguindo esse homem. Há uma completa ausência de motivação. Não, meu caro amigo, devemos aceitar o fato de que não temos nenhum caso no momento, e que vale a pena correr algum risco para estabelecer um.

— E como você propõe fazer isso?

— Tenho grandes esperanças no que a Sra. Laura Lyons poderá fazer por nós quando ficar a par da situação. E tenho meus próprios planos também. Para o dia de amanhã, basta o mal disso tudo. Mas espero que, antes de o dia terminar, eu finalmente leve a melhor.

Não consegui arrancar mais nada dele, e caminhamos, absortos em pensamentos, até os portões de Baskerville.

— Vai entrar?

— Vou, não vejo nenhum motivo para continuar me escondendo. Mas uma última palavra, Watson. Não diga nada a Sir Henry a respeito do cão. Deixe-o pensar que a morte de Selden foi como Stapleton gostaria que acreditássemos. Dessa forma, ele terá mais coragem para a provação que precisará enfrentar amanhã, quando tiver, se me lembro bem do seu relatório, que ir jantar com aquelas pessoas.

— E eu também.

— Nesse caso, você deve apresentar suas desculpas e deixar que ele vá sozinho. Isso será facilmente arranjado. E agora, já que nos atrasamos para o jantar, acredito estarmos ambos prontos para nossas ceias.

Sir Henry ficou mais satisfeito do que surpreso ao ver Sherlock Holmes, pois esperava havia alguns dias que os eventos recentes o trouxessem de Londres. No entanto, ficou de sobrancelhas arqueadas quando descobriu que meu amigo não tinha nenhuma bagagem e nenhuma explicação para a ausência dela. Logo atendemos às suas necessidades, e durante uma ceia tardia, explicamos ao baronete o que parecia desejável que ele soubesse da nossa experiência. Antes, porém, coube-me a desagradável tarefa de comunicar a morte de Selden a Barrymore e sua mulher. Para ele, pode ter sido um alívio completo, mas ela chorou amargamente em seu avental. Aos olhos do mundo, aquele era um homem violento, meio animal e meio demônio, mas, para a irmã, no entanto, seria sempre o garotinho voluntarioso de sua própria infância, a criança que costumava se agarrar à sua mão. Desgraçado é o homem que não tem nenhuma mulher para pranteá-lo.

— Passei o dia todo à toa pela casa desde que Watson saiu de manhã — disse o baronete. — Creio que mereço ser parabenizado, pois cumpri minha promessa. Se não tivesse jurado não sair sozinho, podia ter passado uma noite mais animada, pois recebi um recado de Stapleton convidando-me para ir até lá.

— Não tenho a menor dúvida que teria passado uma noite mais animada — disse Holmes secamente. — A propósito, suponho que não saiba que estivemos a pranteaer sua morte por causa de um pescoço quebrado?

Sir Henry arregalou os olhos.

— Como assim?

— O pobre infeliz estava vestido com as suas roupas. Receio que o criado que as deu para ele possa se ver em apuros com a polícia.

— Isso não é muito provável. Pelo que sei, nenhuma delas tinha qualquer tipo de marca.

— Sorte dele. Na verdade, sorte de todos vocês, porque estão todos contra a lei nessa questão. Não sei se, como um detetive consciencioso, meu primeiro dever não seria prender a casa inteira. Os relatórios de Watson são documentos extremamente incriminadores.

— Mas e quanto ao caso? — perguntou o baronete.

— Conseguiu desembaraçar esse terrível emaranhado? Parece-me que Watson e eu não descobrimos praticamente nada desde que chegamos aqui.

— Acredito que em breve terei condições de tornar a situação muito mais clara a seus olhos. Foi um caso extremamente difícil e complicado. Existem vários pontos que ainda precisam ser deslindados... mas vamos conseguir.

— Tivemos uma experiência desagradável, como Watson deve ter lhe contado. Ouvimos o cão na charneca, de modo que posso jurar que nem tudo é superstição. Lidei um pouco com cachorros quando estava no Oeste, e sei quando ouço um. Se o senhor conseguir colocar uma focinheira e correntes nesse aí, estarei pronto a jurar que é o maior detetive de todos os tempos.

— Creio que consigo amordaçá-lo e acorrentá-lo se você me ajudar.

— Farei qualquer coisa que pedir.

— Ótimo. E vou lhe pedir que o faça cegamente, sem perguntar o motivo.

— Como queira.

— Se o fizer, acredito que teremos chance de resolver nosso problema em breve. Não duvido...

Holmes parou de falar de repente, os olhos fixos no ar por sobre a minha cabeça. A luz batia sobre seu rosto e sua expressão estava tão absorta que podia ser confundido com uma estátua clássica bem-delineada, uma personificação de vigilância e expectativa.

— O que foi? — exclamamos os dois.

Quando baixou os olhos, pude ver que tentava reprimir uma forte emoção. Seus traços ainda estavam controlados, mas seus olhos brilhavam com divertido júbilo.

— Perdoem a admiração de um *connaisseur* — disse ele, apontando a linha de retratos que cobria a parede oposta. — Watson não admite que eu entenda nada de arte, mas isso é pura inveja, porque nossos gostos sobre o assunto divergem. Ora, essa é realmente uma belíssima coleção de retratos.

— Bem, fico feliz de ouvi-lo dizer isso — disse Sir Henry, olhando com certa surpresa para meu amigo. — Não tenho intenção de saber muito sobre essas coisas, e saberia julgar melhor um cavalo ou um bezerro do que um quadro. Não sabia que o senhor tinha tempo para essas coisas.

— Eu sei se algo é bom quando vejo, como estou vendo agora. Esse é um Kneller, eu posso jurar, e aquela dama de vestido de seda azul lá adiante, e o corpulento cavalheiro com a peruca deve ser um Reynolds. Todos são retratos de família, presumo?

— Todos.

— Você sabe os nomes?

— Barrymore andou me ensinando sobre eles, e acho que aprendi minhas lições muito bem.

— Quem é o cavalheiro com a luneta?

— Aquele é o contra-almirante Baskerville, que serviu sob as ordens de Rodney nas Índias Ocidentais. O homem de casaco azul e com o rolo de papel é Sir William Baskerville, que foi Presidente dos Comitês da Câmara dos Comuns durante o governo de Pitt.

— E esse cavaleiro à minha frente... aquele com veludo preto e a renda?

— Ah, o senhor tem o direito de saber sobre ele. Esse é a causa de todo o mal, o perverso Hugo, que provocou o surgimento do Cão dos Baskerville. Provavelmente não o esqueceremos.

Olhei o retrato com interesse e alguma surpresa.

— Meu Deus! — exclamou Holmes. — Ele parece um homem calmo, de maneiras tranquilas, mas ouso dizer que existe um demônio escondido em seus olhos. Eu o imaginava como uma pessoa mais robusta e valentona.

— Não há dúvidas sobre a autenticidade, pois o nome e a data, 1647, estão no verso da tela.

Holmes pouco falou além disso, mas a imagem do velho fanfarrão parecia exercer certo fascínio sobre ele, e seus olhos permaneceram fixos nele durante a ceia. Só mais tarde, quando Sir Henry foi para o seu quarto, que eu fui capaz de seguir o fio de seus pensamentos. Ele me levou de volta para o salão de banquetes, com a vela do quarto na mão, e segurou-a contra o retrato na parede, manchado pelo tempo.

— Você vê alguma coisa ali?

Olhei para o chapéu com plumas, os cabelos encaracolados, a gola de renda branca emoldurando um rosto honesto e severo. Não era um semblante brutal, mas duro, severo e austero, com uma boca firme, lábios finos e um olhar friamente intolerante.

— Parece-se com alguém que você conheça?

— Há alguma coisa de Sir Henry no queixo.

— Só uma ligeira semelhança, talvez. Mas espere um instante!

Ele subiu em uma cadeira e, erguendo a vela na mão esquerda, curvou o braço direito sobre o amplo chapéu e em torno dos longos cachos.

— Valha-me Deus! — exclamei, espantado.

O rosto de Stapleton surgira na tela.

— Ah, agora você percebe. Meus olhos foram treinados para examinar rostos, e não seus remates. A primeira qualidade de um investigador criminal é ser capaz de ver através de um disfarce.

— Mas isso é extraordinário. Poderia ser o retrato dele.

— Sim, é um exemplo interessante de atavismo, que parece ser tanto físico quanto espiritual. Um estudo de retratos de família é suficiente para converter um homem à doutrina da reencarnação. O sujeito é um Baskerville, isso é evidente.

— Com interesses na sucessão.

— Exatamente. Esse acaso da pintura nos fornece um de nossos elos perdidos mais óbvios. Ele está em nossas mãos, Watson, e eu ouso jurar que antes de amanhã à noite ele vai estar se debatendo em nossa rede, tão impotente quanto uma de suas próprias borboletas. Um alfinete, uma rolha e um cartão e nós vamos acrescentá-lo à coleção de Baker Street!

Ao se desviar da pintura, explodiu em um de seus raros acessos de riso. Não o ouço rir muitas vezes, e isso era sempre de mau agouro para alguém.

Acordei cedo na manhã seguinte, mas Holmes tinha acordado ainda mais cedo, pois o vi caminhando pela trilha, subindo a estrada.

— Sim, nós vamos ter dia cheio hoje — observou, esfregando de contentamento. — As redes estão todas em posição e o arrastão está prestes a começar. Saberemos antes do fim do dia se pegamos nosso grande patife de mandíbula magra ou se ele conseguiu escapar por entre as malhas.

— Você já esteve na charneca?

— Enviei um relatório de Grimpen para Princetown sobre a morte de Selden. Eu acho que posso prometer que nenhum de vocês dois será incomodado sobre o assunto. E também me comuniquei com meu fiel Cartwright, que certamente teria se consumido na porta da minha cabana, como um cão no túmulo do seu dono, se eu não o tivesse tranquilizado quanto à minha segurança.

— Qual é o próximo passo?

— Ver Sir Henry. Ah, aqui está ele!

— Bom dia, Holmes — disse o baronete. — Está parecendo um general a planejar uma batalha com o seu chefe do estado maior.

— Essa é exatamente a situação. Watson estava esperando as minhas ordens.

— E eu também estou.

— Muito bem. Você prometeu, pelo que eu entendi, jantar com nossos amigos, os Stapleton, esta noite.

— Eu espero que você venha também. Eles são pessoas muito hospitaleiras, e tenho certeza de que ficariam muito felizes em vê-lo.

— Temo que Watson e eu devemos ir a Londres.

— Para Londres?

— Sim, acredito que vamos ser mais úteis lá na atual conjuntura.

O baronete ficou visivelmente decepcionado.

— Eu esperava que vocês fossem me ajudar a levar a cabo esse caso. O Solar e a charneca não são lugares muito agradáveis quando se está sozinho.

— Meu caro amigo, você deve confiar em mim e fazer exatamente o que eu lhe disser. Pode dizer a seus amigos que teríamos ficado muito contentes em acompanhá-lo, mas que negócios urgentes exigiram que fôssemos à cidade. Esperamos muito em breve retornar a Devonshire. Você vai se lembrar de dar a eles essa mensagem?

— Se insiste nisso.

— Não há alternativa, asseguro-lhe.

Pela expressão anuviada do baronete, vi que ele estava profundamente magoado com o que considerava nossa deserção.

— Quando você deseja ir? — perguntou ele friamente.

— Imediatamente depois do desjejum. Nós vamos de carruagem até Coombe Tracey, mas Watson vai deixar suas coisas aqui como uma promessa de que ele voltará para você. Watson, você vai enviar um bilhete para Stapleton para dizer que você lamenta não poder ir.

— Gostaria muito de ir para Londres com vocês — disse o baronete. — Por que eu devo ficar aqui sozinho?

— Porque este é o seu posto. Porque você me deu sua palavra de que faria o que eu pedisse e eu lhe peço para ficar.

— Tudo bem, então, vou ficar.

— Mais uma instrução! Eu desejo que você vá de charrete à Casa Merripit. Mas mande-a de volta, no entanto, e deixe-os saber que você pretende voltar a pé para casa.

— Caminhar pela charneca?

— Sim.

— Mas isso é exatamente o que você sempre me recomendou que não fizesse.

— Desta vez você pode fazer isso com segurança. Se eu não tivesse toda a confiança em sua fibra e coragem, eu não faria tal sugestão, mas é essencial que você faça isso.

— Então é o que vou fazer.

— E, se der valor à sua vida, não atravesse a charneca em nenhuma outra direção, a não ser ao longo da trilha reta que leva da Casa Merripit à estrada de Grimpen, e é o seu caminho natural para casa.

— Farei exatamente o que pede.

— Muito bem. Eu ficaria feliz em sair logo após o desjejum, para chegar a Londres à tarde.

Fiquei muito impressionado com o que ele tinha acabado de falar, embora me lembrasse de que Holmes dissera a Stapleton na noite anterior que sua visita terminaria no dia seguinte. Não me passou pela cabeça, no entanto, que ele desejasse que eu fosse com ele, nem pude entender como poderíamos estar ambos ausentes em um momento que ele mesmo declarou ser crítico. Não havia nada a fazer, a não ser obediência implícita. Por isso, despedimo-nos de nosso pesaroso amigo e, algumas horas depois, estávamos na estação de Coombe Tracey e mandáramos a charrete de volta. Um garotinho estava esperando na plataforma.

— Alguma ordem, senhor?

— Você vai pegar este trem para a cidade, Cartwright. No momento em que você chegar, vai enviar um telegrama para Sir Henry Baskerville, em meu nome, para dizer que, caso ele encontre a caderneta que eu deixei cair, deve enviá-la, registrada, para Baker Street.

— Sim, senhor.

— E pergunte no escritório da estação se há alguma mensagem para mim.

O menino voltou com um telegrama, que Holmes me mostrou. Ele dizia:

Telegrama recebido. Vou com um mandado não assinado. Chego às cinco e quarenta.

Lestrade.

— Isso é em resposta ao que enviei esta manhã. Ele é o melhor dos profissionais, acredito, e podemos precisar da ajuda dele. Agora, Watson, eu acho que não podemos empregar nosso tempo melhor do que fazendo uma visita à sua conhecida, a Sra. Laura Lyons.

Seu plano estava começando a ficar evidente. Ele usaria o baronete para convencer os Stapleton de que realmente havíamos partido, ao passo que deveríamos retornar assim que pudéssemos ser necessários. Esse telegrama de Londres, se mencionado por Sir Henry aos Stapleton, afastaria as últimas suspeitas de suas mentes. Eu já podia ver nossas redes se apertando em torno daquele patife de face encovada.

A Sra. Laura Lyons estava em seu escritório e Sherlock Holmes abriu sua entrevista com uma franqueza e objetividade que a impressionaram consideravelmente.

— Estou investigando as circunstâncias da morte do falecido Sir Charles Baskerville — disse ele. — Meu amigo aqui, Dr. Watson, contou-me sobre o que a senhora lhe comunicou e também sobre o que escondeu em relação ao assunto.

— O que foi que eu escondi? — perguntou ela desafiadoramente.

— A senhora confessou que pediu a Sir Charles para estar no portão às dez horas. Sabemos que esse foi o lugar e a hora da sua morte. A senhora escondeu a relação entre esses dois eventos.

— Não há relação nenhuma.

— Nesse caso, a coincidência deve, de fato, ser extraordinária. Mas acho que conseguiremos estabelecer uma conexão depois de tudo. Eu desejo ser inteiramente franco com você, Sra. Lyons. A nosso ver, esse foi um caso de assassinato, e as evidências podem implicar não apenas seu amigo, o Sr. Stapleton, mas também sua esposa.

A dama levantou-se de um salto.

— Sua esposa! — exclamou ela.

— Não é mais um segredo. A pessoa que se passa por sua irmã na verdade é sua esposa.

A Sra. Lyons voltou a se sentar. Suas mãos estavam segurando os braços da cadeira, e vi que suas unhas estavam brancas com a pressão de seu aperto.

— Sua esposa! — repetiu ela. — A esposa dele! Ele não é casado.

Sherlock Holmes encolheu os ombros.

— Prove-me isso! Prove-me isso! E, se conseguir...

O brilho feroz de seus olhos dizia mais do que quaisquer palavras.

— Vim preparado para fazer isso — disse Holmes, tirando vários papéis do bolso. — Aqui está uma foto do casal tirada em York há quatro anos. Atrás está escrito "Sr. e Sra. Vandeleur", mas você não terá dificuldade em reconhecê-lo, e a ela também, se você a conhece de vista. Aqui estão três descrições por escrito de testemunhas confiáveis que conheceram o Sr. e a Sra. Vandeleur, que na época dirigiam o colégio particular de St. Oliver. Leia-as e veja se você pode duvidar da identidade dessas pessoas.

Ela passou os olhos nos papéis e depois olhou para nós com o semblante resoluto, rígido, de uma mulher desesperada.

— Sr. Holmes — disse ela —, esse homem se ofereceu para se casar comigo com a condição de que eu me divorciasse do meu marido. Ele mentiu para mim, o canalha, de todas as maneiras possíveis. Jamais me disse uma verdade. E por quê? Por quê? Pensei que era tudo para o meu próprio bem. Mas agora vejo que nunca fui nada além de uma ferramenta em suas mãos. Por que eu deveria continuar fiel a ele, que nunca me foi fiel? Por que eu deveria tentar protegê-lo das consequências de suas próprias crueldades? Pergunte-me o que você quiser e não vou esconder nada. Uma coisa eu lhe juro, quando escrevi a carta, sequer sonhava em fazer algum mal ao velho cavalheiro que fora meu mais bondoso amigo.

— Acredito inteiramente no que diz, senhora — disse Sherlock Holmes. — A narrativa desses eventos deve lhe ser muito dolorosa, e talvez seja mais fácil se eu lhe disser o que aconteceu, e a senhora poderá me corrigir se eu cometer algum erro importante. O envio desta carta foi sugerido a você por Stapleton?

— Ele a ditou para mim.

— Eu presumo que a razão que ele deu foi que você receberia ajuda de Sir Charles para as despesas legais relacionadas com o seu divórcio?

— Exatamente.

— E depois que a senhora enviou a carta, ele a dissuadiu de comparecer ao encontro?

— Ele me disse que eu ofenderia seu amor-próprio se qualquer outro homem me fornecesse o dinheiro para esse objetivo, e que, embora fosse um homem pobre, ele dedicaria até seu último centavo para remover os obstáculos que nos separavam.

— Ele parece ter um caráter muito firme. E a senhora não soube mais nada até ler as notícias da morte no jornal?

— Não.

— E ele a fez jurar que não diria nada sobre o seu encontro com Sir Charles?

— Sim. Disse que foi uma morte muito misteriosa, e que eu certamente seria suspeita se os fatos viessem à luz. Ele me assustou para que eu permanecesse em silêncio.

— Naturalmente. Mas a senhora teve suas desconfianças?

Ela hesitou e desviou o olhar.

— Eu o conhecia — disse ela. — Mas se ele tivesse se mantido fiel a mim, eu sempre teria sido fiel a ele.

— Acho que, no geral, a senhora se saiu muito bem — disse Sherlock Holmes. — A senhora o teve em suas mãos, e ele sabia disso, e no entanto está viva. Durante meses a senhora andou à beira de um precipício. Agora devemos lhe desejar um bom dia, Sra. Lyons, e é provável que volte a ter notícias nossas muito em breve.

— Nosso caso está se completando, e as dificuldades se dissipando, uma após a outra, bem diante de nós — disse Holmes, quando esperávamos que o expresso chegasse da cidade. — Logo conseguirei colocar, em uma única narrativa coerente, um dos crimes mais singulares e sensacionais dos tempos modernos. Os estudiosos em criminologia se lembram dos incidentes análogos em Grodno, na Pequena Rússia, no ano de 1866, e claro que existem os assassinatos de Anderson na Carolina do Norte, mas este caso apresenta algumas características que são inteiramente peculiares. Por enquanto não temos evidências o suficiente para acusar esse espertíssimo homem. Mas ficarei muito surpreso se tudo não estiver claro o suficiente antes de irmos dormir esta noite.

O expresso de Londres chegou rugindo na estação, e um homenzinho vigoroso, com cara de buldogue, saltou de um vagão da primeira classe. Nós três nos apertamos as mãos e percebi imediatamente a maneira reverente com que Lestrade olhava para o meu companheiro, pois ele tinha aprendido muito desde o dia em que trabalharam juntos pela primeira vez. Ainda me lembro do desdém que as teorias do intelectual costumavam despertar no homem prático.

— Alguma coisa boa? — perguntou ele.

— A maior coisa em anos — respondeu Holmes. — Temos duas horas antes de pensarmos em começar. Acho que podemos gastá-las em um jantar e, depois, Lestrade, tiraremos a névoa de Londres de sua garganta, fazendo-o respirar o ar puro da noite de Dartmoor. Nunca esteve lá? Ah, bem, eu suponho que você não vai se esquecer de sua primeira visita.

CAPÍTULO XIV

O cão dos Baskerville

Um dos defeitos de Sherlock Holmes, se é que podemos chamá-lo de defeito, era que sempre ficava excessivamente relutante em comunicar seus planos completos a qualquer outra pessoa até o instante de executá-los. Em parte, sem dúvida, vinha de sua natureza autoritária, que gostava de dominar e surpreender aqueles que estavam ao seu redor. Em parte também por sua cautela profissional, que o impelia a nunca correr riscos. O resultado, entretanto, era muito difícil para aqueles que estavam atuando como seus agentes e assistentes. Muitas vezes sofri com isso, porém, nunca tanto quanto durante aquela longa viagem de carruagem na escuridão. A grande provação estava diante de nós. Finalmente, estávamos prestes a fazer o nosso esforço final, e, no entanto, Holmes não dizia nada e eu só podia conjecturar qual seria o seu curso de ação. Meus nervos vibravam de antecipação quando por fim o vento frio em nossos rostos e os espaços escuros e vazios em ambos os lados da estrada estreita me disseram que estávamos de volta à charneca. Cada passo dos cavalos e cada giro das rodas nos aproximava de nossa suprema aventura.

Nossa conversa foi dificultada pela presença do cocheiro da carruagem alugada, de modo que fomos forçados a falar de assuntos triviais quando nossos nervos se retesavam de emoção e expectativa. Senti alívio quando, depois daquela restrição, finalmente passamos pela casa de Frankland e eu soube que estávamos nos aproximando do Solar e do cenário da ação. Não fomos de carruagem até a porta, mas descemos perto do portão da alameda. A carruagem foi paga e mandada retornar a Coombe Tracey imediatamente, enquanto começamos a caminhar para a Casa Merripit.

— Você está armado, Lestrade?

O pequeno detetive sorriu.

— Enquanto eu tiver as minhas calças, tenho um bolso traseiro, e enquanto tiver meu bolso traseiro, sempre vou ter algo dentro dele.

— Ótimo! Meu amigo e eu também estamos prontos para emergências.

— Você está muito fechado com relação a esse caso, Sr. Holmes. Qual é o jogo desta vez?

— Um jogo de espera.

— Palavra, este não parece ser um lugar muito alegre — disse o detetive e estremeceu, contemplando as encostas sombrias da colina e o imenso lago de neblina que jazia sobre o charco de Grimpen. — Eu vejo as luzes de uma casa à nossa frente.

— Essa é a Casa Merripit e o fim da nossa jornada. Eu devo lhes pedir que andem nas pontas dos pés e falem sussurrando.

Seguimos cautelosamente ao longo da trilha como se estivéssemos indo para a casa, mas Holmes nos parou quando estávamos a cerca de duzentos metros dela.

— Aqui está bem — disse ele. — Essas pedras à direita servirão como um anteparo admirável.

— Devemos esperar aqui?

— Sim, faremos nossa pequena emboscada aqui. Entre nesse buraco, Lestrade. Você esteve dentro da casa, certo, Watson? Você pode nos dizer a posição dos quartos? A que cômodo pertencem àquelas janelas com treliça naquela extremidade?

— Acho que são as janelas da cozinha.

— E aquela outra mais adiante, tão iluminada?

— Aquela é certamente a da sala de jantar.

— As persianas estão levantadas. Você conhece melhor a disposição do terreno. Aproxime-se em silêncio e veja o que eles estão fazendo, mas, pelo amor de Deus, não deixe que percebam que estão sendo observados!

Segui na ponta dos pés e me inclinei atrás do muro baixo que cercava o mirado pomar. Rastejando em sua sombra, cheguei a um ponto de onde podia olhar diretamente através da janela aberta.

Só havia dois homens na sala, Sir Henry e Stapleton. Estavam sentados, de perfil para mim, dos dois lados da mesa redonda. Ambos estavam fumando charuto, e havia café e vinho à frente deles. Stapleton falava com animação, mas o baronete parecia pálido e distraído. Talvez o pensamento daquele passeio solitário pela charneca agourenta o oprimisse.

Enquanto eu os observava, Stapleton se levantou e saiu da sala, enquanto sir Henry enchia o copo de novo e recostava-se na cadeira, fumando um charuto. Ouvi o rangido de uma porta e o som de botas no cascalho. Os passos ressoaram ao longo da trilha do outro lado do muro sob a qual eu estava agachado. Espiando por cima, vi o naturalista parar à porta de uma casinha em um canto do pomar. Uma chave girou na fechadura e, quando ele entrou, ouvi um curioso som de discussão vindo de dentro. Ele ficou apenas cerca de um minuto no interior, e então ouvi a chave girar mais uma vez e ele passou por mim e voltou para a casa. Eu o vi se juntar ao seu convidado, e rastejei silenciosamente de volta para onde meus companheiros estavam esperando para que eu lhes contasse o que tinha visto.

— Está dizendo, Watson, que a senhora não está lá? — perguntou Holmes quando terminei meu relato.

— Não está.

— Onde ela pode estar, se não há luz em nenhum outro cômodo, exceto na cozinha?

— Não faço ideia.

Já mencionei que uma densa névoa branca pairava sobre o grande charco de Grimpen. Ela estava vindo lentamente em nossa direção, e se acumulava como um muro daquele lado de nós, baixa, mas espessa e bem-definida. A lua brilhava sobre ela, que se assemelhava a um grande e bruxuleante campo de gelo, com os cumes dos penhascos ao longe parecendo rochas que despontavam em sua superfície. O rosto de Holmes estava virado para ela, e ele murmurou impaciente enquanto observava a lentidão com que ela se movia.

— Ela está se movendo em nossa direção, Watson.

— Acha isso sério?

— Muito sério, de fato; a única coisa neste mundo que poderia perturbar meus planos. Agora não falta muito tempo. Já são dez horas.

Nosso sucesso e até mesmo a vida dele podem depender de que ele saia antes que a neblina cubra a trilha.

A noite estava límpida e bela acima de nós. As estrelas brilhavam frias e nítidas, enquanto uma meia-lua banhava toda a cena em uma luz suave e incerta. Diante de nós, erguia-se a parte escura da casa, seu telhado serrilhado e as chaminés eriçadas delineadas contra o céu prateado e cintilante. Largas barras de luz dourada, vindas das janelas inferiores, estendiam-se pelo pomar e pela charneca. Uma delas foi subitamente desligada. Os criados tinham saído da cozinha. Restava apenas a lâmpada na sala de jantar, onde os dois homens, o anfitrião assassino e o hóspede ingênuo, ainda conversavam e fumavam seus charutos.

A cada minuto aquela planície branca que cobria metade da charneca chegava cada vez mais perto da casa. Seus primeiros farrapos finos já espiralavam através do quadrado dourado da janela iluminada. O muro do outro lado do pomar tornara-se invisível, e as árvores despontavam de um turbilhão de vapor branco. Enquanto observávamos, as espirais de neblina se aproximaram rastejando de ambos os cantos da casa e rolaram lentamente para formar uma nuvem densa, sobre a qual o andar superior e o telhado flutuavam como um estranho navio sobre um mar sombrio. Holmes socou a pedra à nossa frente e bateu os pés no chão em sua impaciência.

— Se ele não sair dentro de um quarto de hora, a trilha estará coberta. Em meia hora, não poderemos ver nossas mãos diante de nós.

— Devemos recuar para um terreno mais alto?

— Sim, acho que seria melhor.

Assim, à medida que a neblina se alastrava, nós recuávamos à frente dela, até que estávamos a oitocentos metros da casa, e aquele denso mar branco, com a lua prateada brilhando no céu, avançava de forma lenta e inexorável.

— Estamos nos afastando demais — disse Holmes. — Não podemos correr o risco de deixá-lo ser alcançado antes de conseguir chegar até nós. A todo custo devemos nos manter onde estamos. — Ele se ajoelhou e colou o ouvido ao chão. — Graças a Deus, acho que ouço seus passos se aproximando.

O CÃO DOS BASKERVILLE   159

O som de passos rápidos rompeu o silêncio da charneca. Agachados entre as pedras, olhávamos diretamente para a barreira prata à nossa frente. Os passos ficaram mais audíveis, e através da neblina, como através de uma cortina, apareceu o homem a quem estávamos esperando. Ele olhou em volta, surpreso, ao emergir na clara noite estrelada. Então, seguiu rapidamente pela trilha, passou perto de onde estávamos e subiu a longa encosta atrás de nós. Enquanto andava, olhava diversas vezes por cima do ombro, revelando sua intranquilidade.

— Psiu! — exclamou Holmes, e ouvi o estalo brusco de uma pistola sendo engatilhada. — Tenham cuidado! Ele está vindo!

Ouviu-se um ruído de passos firmes e contínuos vindo de algum lugar em meio àquela cortina de névoa. A nuvem estava a cinquenta metros de onde estávamos, e nós olhamos para ela, todos os três, sem saber ao certo que horror estava prestes a acontecer. Eu estava ao lado de Holmes e olhei de relance para seu rosto. Estava pálido e exultante, os olhos brilhando intensamente ao luar. Mas, de repente, seu olhar tornou-se rígido, fixo, e seus lábios se entreabriram de espanto. No mesmo instante, Lestrade soltou um grito de terror e se jogou de bruços no chão. Levantei-me de um salto, minha mão inerte agarrando o revólver, minha mente paralisada pela forma pavorosa que surgira diante de nós, saída das sombras da neblina. Era um cão, um enorme cão negro como carvão, mas não um cão como olhos mortais já tivessem visto. Sua boca aberta cuspia fogo, seus olhos brilhavam como brasas vivas, seu focinho, os pelos eriçados do seu dorso e a barbela eram delineados por chamas bruxuleantes. Nunca, nem no sonho delirante de um cérebro perturbado algo mais selvagem poderia ter sido concebido, algo mais aterrador, mais diabólico que aquela forma escura que se precipitou da cortina de névoa.

Com longos saltos, a enorme criatura negra percorria a trilha, seguindo de perto os passos de nosso amigo. Ficamos tão paralisados pela aparição que permitimos que ele passasse antes de termos recuperado nosso sangue-frio. Então Holmes e eu atiramos juntos, e a criatura deu um uivo hediondo, indicando que pelo menos um de nós acertara. O cão não parou, no entanto, mas seguiu em frente. Bem longe, na trilha, vimos Sir Henry olhando para trás, o rosto branco à luz da lua, as mãos erguidas em horror, olhando impotente para a coisa assustadora que o perseguia.

Mas aquele grito de dor da criatura dissipara todos os nossos medos. Se ela era vulnerável, era mortal, e podíamos feri-la, podíamos matá-la. Nunca vi um homem correr como Holmes naquela noite. Sou reconhecidamente veloz, mas ele me ultrapassou tanto quanto eu ultrapassei a figura miúda de Lestrade. À nossa frente, enquanto voávamos pela trilha, ouvimos o grito de Sir Henry e o rugido profundo do cão. Cheguei a tempo de ver a fera atacar sua vítima, jogá-la no chão e investir contra a sua garganta. Mas, no instante seguinte, Holmes atirou cinco vezes sobre o flanco da criatura. Com um último uivo de agonia e uma feroz dentada no ar, o cão tombou de costas, as quatro patas se debatendo furiosamente, e depois caiu de lado, inerte. Eu me inclinei, ofegante e pressionei o revólver na cabeça que ainda tremia, mas não era preciso apertar o gatilho. O cão gigantesco estava morto.

Sir Henry jazia desacordado onde tinha caído. Rasgamos seu colarinho e Holmes fez uma oração de gratidão quando verificou que não tinha sinal de ferida e que o resgate chegara a tempo. As pálpebras do nosso amigo já tremiam e ele fez esforço para se mover. Lestrade enfiou seu frasco de conhaque entre os dentes do baronete, e dois olhos assustados estavam olhando para nós.

— Meu Deus! — sussurrou ele. — O que foi isso? Em nome de Deus, o que foi isso?

— Está morto, o que quer que fosse — disse Holmes. — Derrubamos o fantasma da família de uma vez por todas.

Só pelo tamanho e força, era um animal terrível que estava estendido diante de nós. Não era um cão de caça puro, nem um mastim puro. Parecia ser uma combinação dos dois: descarnado, selvagem e do tamanho de uma leoa jovem. Mesmo agora, na quietude da morte, as enormes mandíbulas pareciam gotejar uma chama azulada e os pequenos olhos profundos e cruéis estavam rodeados de fogo. Coloquei minha mão no focinho brilhante e, quando a ergui, meus próprios dedos ardiam e brilhavam na escuridão.

— Fósforo — disse eu.

— Uma preparação habilidosa — disse Holmes, cheirando o animal morto. — Nenhum cheiro poderia interferir em seu faro. Nós lhe devemos sinceras desculpas, Sir Henry, por tê-lo exposto a esse pavor.

Eu esperava um cão, não uma criatura como esta. E o nevoeiro nos deu pouco tempo para recebê-lo.

— Os senhores salvaram a minha vida.

— Tendo primeiro a colocado em perigo. Você está forte o suficiente para ficar de pé?

— Dê-me outro gole daquele conhaque e eu estarei pronto para qualquer coisa. Assim! Agora, se puderem me ajudar a me levantar. O que você propõe fazer?

— Deixar o senhor aqui. Não me parece em condições para outras aventuras esta noite. Se você esperar, um de nós o acompanhará até o Solar.

Sir Henry tentou ficar de pé, mas ainda estava horrivelmente pálido e tremia da cabeça aos pés. Nós o ajudamos a chegar até uma pedra, na qual se sentou, trêmulo e com o rosto enterrado nas mãos.

— Devemos deixá-lo agora — disse Holmes. — O resto do nosso trabalho deve ser feito e cada minuto é muito importante. Temos o nosso caso, e agora só precisamos do nosso homem. A probabilidade de não o encontrarmos em casa é de mil contra um — continuou ele, enquanto voltávamos rapidamente pela trilha. — Aqueles tiros certamente o informaram de que o jogo terminou.

— Estávamos a alguma distância, e essa névoa pode ter abafado o som.

— Ele seguiu o cão para chamá-lo de volta, podem ter certeza. Não, não, a esta altura ele já fugiu! Mas nós vamos revistar a casa para ter certeza.

Como a porta da frente estava aberta, entramos às pressas e corremos de cômodo em cômodo, para espanto de um velho e trôpego empregado que nos encontrou no corredor. Não havia luz alguma a não ser na sala de jantar, mas Holmes pegou o lampião e não deixou um canto da casa inexplorado. Não vimos nenhum sinal do homem que estávamos perseguindo. No andar superior, no entanto, uma das portas do quarto estava trancada.

— Tem alguém aqui! — exclamou Lestrade. — Consigo ouvir uma movimentação. Abra esta porta!

Um fraco gemido e um farfalhar veio de dentro. Holmes golpeou a porta logo acima da fechadura com o pé e ela se abriu. De revólver em punho, todos nós três corremos para o quarto.

Mas não tinha sinal daquele patife desesperado e desafiador que esperávamos ver. Em vez disso, fomos confrontados por um objeto tão estranho e tão inesperado que ficamos parados por um momento, espantados.

O quarto tinha sido transformado em um pequeno museu, e as paredes eram revestidas por uma série de expositores com tampo de vidro, cheios daquela coleção de borboletas e mariposas cuja formação tinha sido a distração desse homem complexo e perigoso. No centro do quarto via-se uma viga vertical, colocada ali um dia como suporte para as velhas e carcomidas traves de madeira que atravessavam o telhado. Nesse poste estava presa uma figura, tão enfaixada e encoberta pelos lençóis que tinham sido usados para amarrá-la que, no primeiro momento, não soubemos se estávamos diante de um homem ou de uma mulher. Uma toalha cingia-lhe o pescoço. Outra cobria a parte inferior do rosto e, acima dela, dois olhos escuros, olhos cheios de aflição, vergonha e uma terrível indagação, nos fitavam. Em um minuto, arrancamos a mordaça, soltamos as amarras e a Srta. Stapleton afundou-se no chão à nossa frente. Quando sua linda cabeça caiu sobre o peito, vi o vergão vermelho de uma chicotada em seu pescoço.

— O animal! — exclamou Holmes. — Depressa, Lestrade, sua garrafa de conhaque! Coloque a moça na cadeira! Ela desmaiou por causa dos maus-tratos e exaustão.

Ela abriu os olhos novamente.

— Ele está em segurança? — perguntou ela. — Ele escapou?

— Ele não vai conseguir escapar de nós, senhora.

— Não, não, não quis dizer meu marido. Sir Henry? Ele está ileso?

— Sim.

— E o cão?

— Está morto.

Ela soltou um longo suspiro de satisfação.

— Graças a Deus! Graças a Deus! Oh, esse miserável! Vejam como ele me tratou! — Ela arregaçou as mangas e pudemos ver como seus braços estavam cobertos de hematomas. — Mas isso não é nada... nada!

Foram a minha mente e a minha alma que ele torturou e profanou. Eu podia suportar tudo, maus-tratos, solidão, uma vida de decepção, tudo, contanto que eu ainda pudesse me apegar à esperança de que eu tivesse o seu amor, mas agora sei que também nisso fui seu joguete e instrumento. — E rompeu em soluços amargurados enquanto falava.

— Não tenha nenhuma benevolência em relação a ele, senhora — disse Holmes. — Conte-nos, portanto, onde podemos encontrá-lo. Se alguma vez o ajudou no mal, ajude-nos agora e poderá se redimir.

— Só há um lugar para onde pode ter fugido — respondeu ela. — Há uma velha mina de estanho em uma ilha no coração do charco. Era lá que ele mantinha o seu cão, e foi lá também que fez arranjos para usá-la como refúgio. É para lá que ele fugiria.

A neblina parecia uma lã branca contra a janela. Holmes ergueu o lampião.

— Vejam — disse ele. — Ninguém seria capaz de penetrar no charco de Grimpen esta noite.

Ela riu e bateu palmas. Seus olhos e dentes cintilaram com uma alegria feroz.

— Ele pode encontrar o seu caminho para entrar, mas nunca para sair! — exclamou ela. — Como ele seria capaz de enxergar as varas que indicam o caminho esta noite? Nós as fincamos juntas, ele e eu, para marcar o caminho pelo charco. Ah, se eu pudesse apenas tê-las arrancado hoje. Então, os senhores o teriam à sua mercê!

Era evidente para nós que qualquer perseguição seria impossível até que a névoa se dissipasse. Então, deixamos Lestrade tomando conta da casa, enquanto Holmes e eu voltamos com o baronete para o Solar Baskerville. Não era mais possível esconder-lhe a história dos Stapleton, mas ele enfrentou bravamente o golpe quando soube a verdade a respeito da mulher que amava. Mas o choque das aventuras da noite abalara seus nervos e, antes do amanhecer, ele delirava com febre alta, sob os cuidados do Dr. Mortimer. Os dois estavam destinados a viajar juntos pelo mundo e, só então, Sir Henry voltaria a ser o homem forte e saudável que fora antes de se tornar dono daquela propriedade agourenta.

E agora chego rapidamente à conclusão dessa singular narrativa, na qual tentei fazer com que o leitor compartilhasse dos medos soturnos e das suposições vagas que anuviaram nossas vidas por tanto tempo e terminaram de maneira tão trágica. Na manhã seguinte à morte do cão, a neblina havia se dissipado e fomos guiados pela Sra. Stapleton até o ponto onde eles tinham encontrado um caminho através do charco. A ansiedade e a alegria com que essa mulher nos pôs na pista do marido ajudou-nos a compreender o horror de sua vida. Nós a deixamos na estreita península de terra firme que se afunilava pelo vasto lodaçal. A partir do ponto em que ela terminava, uma pequena vara fincada aqui e ali mostrava por onde o caminho se estendia em zigue-zague de tufo em tufo de juncos por entre aqueles buracos cheios de espuma verde e atoleiros fétidos que bloqueavam o caminho para um forasteiro. Caniços exuberantes e plantas aquáticas lançavam odores de decomposição e um pesado vapor miasmático em nossos rostos, enquanto, mais de uma vez, um passo em falso nos mergulhou até a coxa no charco escuro, que se agitava em suaves ondulações em torno de nossos pés. Seu aperto tenaz agarrava nossos calcanhares enquanto andávamos, e quando nos afundávamos nele era como se alguma mão maligna nos puxasse para aquelas profundezas repugnantes, tão implacáveis e sinistra era a pressão com que nos segurava. Apenas uma vez vimos um traço de que alguém tinha passado por esse caminho perigoso antes de nós. Do meio de um tufo de grama de algodão que o sustentava do lodo, alguma coisa escura se projetava. Holmes afundou-se até a cintura enquanto saía do caminho para pegá-la, e se não estivéssemos lá para arrastá-lo para fora, ele nunca mais teria colocado os pés em terra firme. Ele segurava uma velha bota preta no ar. "Meyers, Toronto" estava impresso no forro do couro.

— Valeu o banho de lama — disse ele. — É a bota perdida do nosso amigo Sir Henry.

— Stapleton a jogou fora em sua fuga.

— Exatamente. Ele a manteve para colocar o cão no rastro dele. Fugiu quando soube que o jogo estava terminado, ainda segurando-a. E a jogou fora neste ponto de sua fuga. Sabemos pelo menos que ele chegou até aqui em segurança.

Mas não estávamos destinados a saber mais do que isso, embora houvesse muito que pudéssemos conjecturar. Não havia chance de encontrar pegadas no charco, pois a lama estava subindo rapidamente. Mas, quando finalmente chegamos a um terreno mais firme além do charco, todos olhamos ansiosos por pegadas. Mas não vimos nenhum sinal delas. Se a terra contava uma história verdadeira, então Stapleton nunca alcançou àquela ilha de refúgio em direção à qual partira na noite anterior, enfrentando a neblina. Em algum lugar no coração do grande charco de Grimpen, no fundo do lodo fétido do enorme pântano que o sugara, esse homem frio e cruel está enterrado para sempre. Encontramos muitos vestígios dele na ilha suja onde ele escondeu seu aliado selvagem. Uma enorme roda propulsora e um poço cheio de lixo mostravam a posição de uma mina abandonada. Ao lado dela, estavam os escombros dos galpões dos mineiros, expulsos, sem dúvida, pelo fedor asqueroso do charco ao redor. Uma argola de ferro e uma corrente com uma quantidade de ossos roídos indicavam onde o animal ficara confinado. Um esqueleto com um emaranhado de cabelos castanhos aderidos a ele estava entre os detritos.

— Um cão! — exclamou Holmes. — Por Deus, um spaniel de pelo ondulado. O pobre Mortimer nunca mais verá seu animal de estimação. Bem, parece-me que este lugar não esconde nenhum segredo que ainda não tenhamos compreendido. Ele podia esconder seu cão de caça, mas não conseguia silenciar sua voz e, portanto, vinham aqueles uivos que, mesmo à luz do dia, não eram agradáveis de se ouvir. Em uma emergência, ele podia manter o cão na casinhola de Merripit, mas isso era sempre um risco, e ele só ousou fazê-lo no dia supremo, que ele considerou como o fim de todos os seus esforços. Esta pasta na lata é, sem dúvida, a mistura luminosa com a qual a criatura foi pintada. Isso foi sugerido, é claro, pela história do cão infernal da família e pelo desejo de matar de susto o velho Sir Charles. Não me admira que o pobre diabo de um prisioneiro corresse e gritasse, assim como fez nosso amigo, e como nós mesmos podíamos ter feito, quando ele viu uma criatura tão perigosa atravessando a escuridão da charneca em seu encalço. Foi um estratagema astuto, pois, afora a possibilidade de ocasionar a morte da vítima, que camponês se aventuraria a investigar tão de perto um animal como esse caso o avistasse, como muitos fizeram, na charneca? Eu disse isso em Londres, Watson, e repito agora, que nunca ajudamos a caçar um homem mais perigoso do que esse o que jaz ali — disse e apontou seu braço comprido em direção à enorme vastidão de charco salpicada de manchas verdes que se estendia a distância até se misturar às encostas avermelhadas da charneca.

CAPÍTULO XV

Uma retrospectiva

Era fim de novembro e Holmes e eu estávamos sentados, em uma noite fria e nevoenta, ao lado de um fogo ardente em nossa sala de estar em Baker Street. Desde o trágico desfecho da nossa visita a Devonshire, ele estivera envolvido em dois assuntos de extrema importância. No primeiro, denunciara a conduta atroz do Coronel Upwood em relação ao famoso escândalo das cartas do Nonpareil Club. E, no segundo, defendera a desafortunada Madame Montpensier da acusação de assassinato que pairou sobre ela em conexão com a morte de sua enteada, Mademoiselle Carère, a jovem dama que, como todos devem se lembrar, foi encontrada seis meses depois viva e casada em Nova York. Meu amigo estava de excelente humor com o sucesso de casos difíceis e importantes, de modo que consegui induzi-lo a discutir os detalhes do mistério de Baskerville. Eu estava esperando pacientemente por essa oportunidade, pois sabia que ele nunca permitiria que casos se sobrepusessem, e que sua mente clara e lógica não se desviasse de seu trabalho atual para se deter em lembranças do passado. Sir Henry e o Dr. Mortimer estavam em Londres, a caminho daquela longa viagem que fora recomendada para a restauração dos nervos abalados do baronete. Tendo os dois nos feito uma visita naquela mesma tarde, era natural que o assunto fosse discutido.

— Todo o curso dos acontecimentos — disse Holmes —, do ponto de vista do homem que dizia se chamar Stapleton, foi simples e direto, embora para nós, que no começo não tínhamos meios de conhecer o que motivava suas ações e só podíamos conhecer parte dos fatos, tudo parecia extremamente complexo. Tive a vantagem de duas conversas com a Sra. Stapleton, e agora que o caso foi completamente esclarecido, não me parece ter restado nenhum segredo para nós. Você encontrará algumas notas sobre o assunto sob a letra B em minha lista de casos.

— Talvez você pudesse fazer a gentileza de me dar, de memória, um resumo do curso dos acontecimentos.

— Certamente, embora eu não possa garantir ter todos os fatos em minha mente. A concentração mental intensa tem uma maneira curiosa de apagar o que passou. O advogado que tem seu caso na ponta da língua, e é capaz de discutir com um especialista sobre seu próprio assunto, descobre que uma semana ou duas semanas podem ser suficientes para expulsar tudo aquilo de sua cabeça. Então cada um dos meus casos apaga o anterior, e Mademoiselle Carère confundiu minha lembrança com o caso do Solar Baskerville. Amanhã, algum outro pequeno problema pode ser submetido à minha atenção, que por sua vez vai desalojar a bela dama francesa e o abominável Upwood. No que diz respeito ao caso do Cão dos Baskerville, porém, eu vou lhe dar o curso dos acontecimentos tão bem quanto eu possa, e você pode sugerir qualquer coisa que eu possa ter me esquecido.

"Minhas investigações mostram, sem nenhuma dúvida, que o retrato de família não mentia, e que aquele sujeito era de fato um Baskerville. Ele era filho daquele Rodger Baskerville, o irmão mais novo de Sir Charles, que fugiu com uma reputação sinistra para a América do Sul, onde, segundo os relatos, teria morrido solteiro. Mas, na verdade, ele se casara e tivera um filho, esse sujeito, cujo nome verdadeiro é igual ao de seu pai. Ele se casou com Beryl Garcia, uma das beldades da Costa Rica, e, tendo roubado uma quantia considerável de dinheiro público, mudou seu nome para Vandeleur e fugiu para a Inglaterra, onde fundou uma escola no leste de Yorkshire. Sua razão para tentar essa linha especial de negócios foi ter feito amizade com um preceptor tuberculoso na viagem para casa, e usado a habilidade desse homem para tornar o empreendimento um sucesso. Mas Fraser, o preceptor, morreu, e a escola, que tinha começado bem, decaiu da má reputação para a infâmia. Os Vandeleur acharam conveniente mudar seu nome para Stapleton, e ele trouxe o resto de sua fortuna, seus planos para o futuro e seu gosto pela entomologia para o sul da Inglaterra. Eu soube no Museu Britânico que ele era uma autoridade reconhecida no assunto, e que o nome Vandeleur ficou permanentemente associado a uma mariposa que ele, em seus dias em Yorkshire, foi o primeiro a descrever.

"Chegamos agora àquela parte de sua vida que provou ser de tanto interesse para nós. O sujeito evidentemente fez investigações e descobriu que apenas duas vidas se interpunham entre ele e uma valiosa herança. Quando ele foi para Devonshire, seus planos eram, creio eu, extremamente vagos, mas, pelo modo como trouxe sua mulher disfarçada como sua irmã, fica evidente que tinha más intenções desde o início. A ideia de usá-la como chamariz já estava definida em sua mente, embora ele não tivesse certeza de como os detalhes de sua trama iriam se encaixar. Ele pretendia pôr as mãos na herança, e estava pronto para lançar mão de qualquer instrumento ou correr qualquer risco. Seu primeiro ato foi se estabelecer o mais próximo possível de sua casa ancestral, e o segundo foi cultivar amizade com Sir Charles Baskerville e os vizinhos.

"O próprio baronete contou-lhe sobre o cão da família, e assim preparou o caminho para a sua própria morte. Stapleton, como continuarei a chamá-lo, sabia que o coração do velho era fraco e que um choque o mataria. Ficou sabendo disso pelo Dr. Mortimer. Também ouvira dizer que Sir Charles era supersticioso e que levava a sério essa lenda funesta. Sua mente engenhosa instantaneamente concebeu uma maneira pela qual o baronete pudesse ser levado à morte, de tal modo que fosse praticamente impossível condenar o verdadeiro assassino.

"Tendo concebido a ideia, ele passou a colocá-la em prática com considerável astúcia. Um golpista comum teria se contentado em trabalhar com um cão feroz. O uso de meios artificiais para tornar o animal diabólico foi um golpe de genialidade de sua parte. Ele comprou o cão em Londres, de Ross e Mangles, os comerciantes de Fulham Road. Era o maior e o mais forte que possuíam. Stapleton levou-o pela linha de North Devon e caminhou uma grande distância pela charneca, de modo a levá-lo para casa sem despertar nenhum comentário. Em suas caçadas a insetos, já tinha aprendido a penetrar no charco de Grimpen, e assim encontrou um esconderijo seguro para a criatura. Ali o abrigou e esperou sua oportunidade.

"Mas ela demorou um pouco a chegar. Ele não conseguia atrair o velho cavalheiro para fora de suas terras à noite. Várias vezes Stapleton se escondeu nas redondezas com seu cão, mas sem sucesso. Foi durante essas buscas infrutíferas que ele, ou melhor, seu aliado, foi visto pelos camponeses e a lenda do cão demoníaco recebeu uma nova confirmação. Ele esperava que sua esposa pudesse atrair Sir Charles para a sua ruína, mas nesse ponto ela se mostrou inesperadamente independente. Ela não se empenharia em enredar o velho cavalheiro em um apego sentimental que pudesse entregá-lo a seu inimigo. Ameaças e até, lamento dizer, golpes foram incapazes de forçá-la. Ela não queria saber dessa trama e, por algum tempo, Stapleton se viu em um impasse.

"Ele encontrou uma saída para suas dificuldades graças a uma casualidade, pois Sir Charles, que nutria amizade por ele, tornou-o encarregado de suas ações de caridade no caso dessa infeliz mulher, a Sra. Laura Lyons. Apresentando-se como um homem solteiro, ele adquiriu completa influência sobre ela, e lhe deu a entender que, no caso de ela obter um divórcio de seu marido, ele se casaria com ela. Seus planos foram repentinamente trazidos à tona quando soube que Sir Charles estava prestes a deixar o Solar a conselho do Dr. Mortimer, com cuja opinião ele próprio fingiu concordar. Ele tinha que agir imediatamente ou sua vítima podia escapar de suas garras. Por isso, pressionou a Sra. Lyons a escrever aquela carta, implorando ao velho que lhe concedesse uma entrevista na noite anterior à sua partida para Londres. Então, mediante uma argumentação capciosa, impediu-a de ir, e assim teve a chance pela qual esperava.

"Voltando de carruagem à noite de Coombe Tracey, ele teve tempo de pegar seu cão, lambuzá-lo com sua tinta infernal, e levar a fera até o portão, onde tinha razões para acreditar que encontraria o velho cavalheiro esperando. O cão, incitado por seu mestre, saltou por cima do portão e perseguiu o desafortunado baronete, que fugiu gritando pela Aleia dos Teixos. Naquele túnel sombrio, deve ter sido de fato terrível ver aquele enorme animal preto, com suas mandíbulas e olhos flamejantes, saltando atrás de sua vítima. Sir Charles caiu morto no fim da aleia de ataque cardíaco e terror. Como o cão se mantivera sobre a margem da grama enquanto o baronete corria pelo caminho, só as pegadas do homem eram visíveis. Ao vê-lo caído imóvel, o animal provavelmente se aproximou para farejá-lo, mas constatando que estava morto, afastou-se. Foi então que deixou a pegada vista pelo Dr. Mortimer. O cão foi chamado e levado às pressas para seu covil no charco de Grimpen, e restou um mistério que confundiu as autoridades, alarmou a região e, por fim, trouxe o caso para o escopo de nossa observação.

"Isso quanto à morte de Sir Charles Baskerville. Você percebe a astúcia diabólica da trama, pois, na verdade, seria quase impossível incriminar o verdadeiro assassino. Seu único cúmplice jamais poderia denunciá-lo, e a natureza grotesca e inconcebível do estratagema só servia para torná-lo mais eficaz. Ambas as mulheres envolvidas no caso, a Sra. Stapleton e a Sra. Laura Lyons, ficaram com uma forte desconfiança de Stapleton. A Sra. Stapleton sabia que ele tinha planos em relação ao velho, e também sobre a existência do cão. A Sra. Lyons não conhecia nenhuma dessas coisas, mas ficara impressionada com o fato de a morte ocorrer na hora de seu encontro não cancelado, do qual somente ele sabia. No entanto, ambas estavam sob sua influência, e ele não tinha nada a temer delas. A primeira metade de sua tarefa foi realizada com sucesso, mas ainda restava a mais difícil.

"É possível que Stapleton não soubesse da existência de um herdeiro no Canadá. De qualquer forma, ele logo tomaria conhecimento dela pelo seu amigo Dr. Mortimer, que lhe contou todos os detalhes sobre a chegada de Henry Baskerville. A primeira ideia de Stapleton foi que esse jovem desconhecido do Canadá poderia ser morto em Londres, antes mesmo de chegar a Devonshire. Ele desconfiava de sua esposa desde que ela se recusara a ajudá-lo a preparar uma armadilha para o velho, e ele não ousava deixá-la longe de sua vista por medo de perder a influência que exercia sobre ela. Foi por esse motivo que a trouxe para Londres com ele. Hospedaram-se, acho, no Mexborough Private Hotel, em Craven Street, que na verdade foi um dos visitados pelo meu agente em busca de provas. Ali ele manteve sua esposa presa em seu quarto enquanto ele, disfarçado com uma barba, seguia o Dr. Mortimer até Baker Street e depois para a estação e para o Northumberland Hotel. Sua esposa tinha alguma ideia de seus planos, mas tinha tanto medo do marido, um medo baseado em maus-tratos brutais, que não ousou escrever para advertir o homem a quem ela sabia estar em perigo. Se a carta caísse nas mãos de Stapleton, sua própria vida não estaria segura. Finalmente, como sabemos, ela adotou o método de cortar as palavras que formariam a mensagem e endereçar a carta com uma letra disfarçada. A mensagem chegou ao baronete e deu-lhe o primeiro aviso do perigo.

"Era imprescindível para Stapleton conseguir alguma peça de vestuário de Sir Henry, de modo que, caso ele fosse obrigado a usar o cão, poderia sempre ter os meios de lançá-lo em seu rastro. Com prontidão e audácia peculiares, ele tratou disso imediatamente, e não podemos duvidar que o engraxate ou a camareira do hotel tenham recebido um belo suborno para ajudá-lo em seu plano. Um acaso, no entanto, fez com que a primeira bota que ele conseguiu fosse a nova e, portanto, inútil para o seu propósito. Ele então a devolveu e conseguiu outra, um incidente muito instrutivo, uma vez que provou conclusivamente em minha mente que estávamos lidando com um cão verdadeiro, pois nenhuma outra suposição podia explicar essa ansiedade para obter uma bota velha e essa indiferença para com uma nova. Quanto mais bizarro e grotesco é um incidente, mais cuidadosamente merece ser examinado, e o próprio ponto que parece complicar um caso é, quando devidamente considerado e cientificamente tratado, o que tem mais chances de elucidá-lo.

"Depois tivemos a visita de nossos amigos na manhã seguinte, sempre seguidos por Stapleton na carruagem. O fato de ele conhecer meu apartamento e minha aparência, bem como sua conduta geral, levou-me a pensar que a carreira de crime de Stapleton não se limitou de modo algum a esse único caso de Baskerville. É sugestivo que durante os últimos três anos tenha havido seis roubos consideráveis na região Oeste, pelos quais nenhum criminoso jamais foi preso. O último deles, em Folkestone Court, em maio, chamou a atenção pelo tiro dado a sangue-frio no mensageiro que surpreendeu o ladrão mascarado e solitário. Não duvido que Stapleton tivesse reunido seus recursos em declínio dessa forma, e que por anos ele tenha sido um homem desesperado e perigoso.

"Tivemos um exemplo de sua disponibilidade de recursos naquela manhã, quando escapou de nós com tanto sucesso, e também de sua audácia em enviar de volta meu próprio nome para mim por meio do cocheiro. A partir daquele momento, ele entendeu que eu tinha assumido o caso em Londres, e que, portanto, não havia nenhuma chance para ele aqui. Ele então voltou para Dartmoor e esperou a chegada do baronete."

— Um momento! — disse eu. — Você, sem dúvida, descreveu a sequência dos eventos corretamente, mas há um ponto que deixou sem explicação. O que aconteceu com o cão quando seu dono estava em Londres?

— Eu dei alguma atenção a esse assunto e é realmente importante. Não pode haver dúvida de que Stapleton tinha um confidente, embora seja improvável que ele compartilhasse todos os seus planos com ele. Havia um velho criado na Casa Merripit, cujo nome era Anthony. Sua conexão com os Stapleton pode ser rastreada há vários anos, desde os seus dias de diretor de colégio, de modo que ele devia saber que seus patrões eram na verdade marido e mulher. Esse homem desapareceu do país. Repare que Anthony não é um nome comum na Inglaterra, enquanto Antônio o é em todos os países hispânicos e hispano-americanos. O homem, como a própria Sra. Stapleton, falava um bom inglês, mas com um curioso sotaque. Eu mesmo vi esse velho atravessar o charco de Grimpen pela trilha que Stapleton demarcara. É muito provável, portanto, que, na ausência de seu patrão, fosse ele quem cuidasse do cão, embora talvez nunca tenha sabido qual seria o objetivo do animal.

"Os Stapleton então foram para Devonshire, sendo logo seguidos por Sir Henry e por você. Uma palavra agora sobre a minha posição naquele momento. Talvez seja possível que se recorde de que, quando eu examinei o papel no qual as palavras impressas estavam pregadas, fiz uma inspeção minuciosa da marca d'água. Ao fazê-lo, segurei-o a poucos centímetros dos meus olhos e logo fiquei consciente de um leve cheiro do perfume conhecido como jasmim branco. Há setenta e cinco perfumes, e é muito importante que um especialista em criminalidade seja capaz de distinguir um do outro, e mais de uma vez, em minha experiência, casos dependeram de seu pronto reconhecimento. O cheiro sugeria a presença de uma dama, e meus pensamentos já começaram a girar em direção aos Stapleton. Assim, eu tinha certeza do cão e tinha adivinhado o criminoso antes de irmos para o Oeste.

"Meu plano era vigiar Stapleton. No entanto, era evidente que eu não podia fazer isso se estivesse com você, já que ele estaria bem atento. Enganei todo mundo, portanto, você mesmo incluído, e fui para lá secretamente quando todos supunham que eu estava em Londres. Minhas dificuldades não foram tão grandes quanto você imaginou, embora esses detalhes insignificantes nunca devam interferir na investigação de um caso. Permaneci a maior parte do tempo em Coombe Tracey, e só usava a cabana na charneca quando era necessário estar perto da cena da ação. Cartwright tinha ido comigo e, disfarçado de camponês, foi de grande ajuda para mim. Eu dependia dele para comida e roupa limpa. Quando eu estava vigiando Stapleton, Cartwright estava frequentemente vigiando você, de modo que eu pude controlar todos os cordões.

"Eu já disse a você que seus relatórios chegaram a mim rapidamente, sendo encaminhados instantaneamente de Baker Street para Coombe Tracey. Eles me foram muito úteis, em especial aquele trecho incidentalmente verdadeiro da biografia de Stapleton. Consegui estabelecer a identidade do homem e da mulher e finalmente soube exatamente qual era a minha posição. O caso tinha se tornado consideravelmente complicado pelo incidente do prisioneiro fugitivo e pelas relações entre ele e os Barrymore. Isso também você esclareceu de uma maneira muito eficaz, embora eu já tivesse chegado às mesmas conclusões a partir de minhas próprias observações.

"No momento em que você me descobriu na charneca, eu tinha um conhecimento completo de todo o caso, mas não tinha uma acusação que pudesse ser apresentada a um júri. Nem mesmo a tentativa de Stapleton contra Sir Henry naquela noite, que terminou com a morte do infeliz prisioneiro, não nos ajudava a provar que nosso homem era culpado de assassinato. Parecia não haver alternativa a não ser pegá-lo em flagrante, e para isso tínhamos que usar Sir Henry, sozinho e aparentemente desprotegido, como isca. Fizemos isso e, ao custo de um grave choque para nosso cliente, conseguimos concluir nosso caso e levar Stapleton à sua ruína. Que Sir Henry tenha sido exposto a isso é, devo confessar, uma mancha na minha condução do caso, mas não tínhamos meios de prever o terrível e paralisante espetáculo que o animal ia apresentar, nem poderíamos prever a neblina que lhe permitiu saltar sobre nós tão repentinamente. Conseguimos nosso objetivo a um custo que tanto o especialista quanto o Dr. Mortimer me garantem ser temporário. Uma longa viagem pode permitir que nosso amigo se recupere não só de seus nervos abalados, mas também de seus sentimentos feridos. Seu amor pela dama era profundo e sincero, e para ele a parte mais triste de todo esse caso funesto foi ter sido enganado por ela.

"Só resta indicar o papel que ela desempenhou durante todo o tempo. Não pode haver dúvida de que Stapleton exercia sobre ela uma influência que talvez fosse amor, talvez fosse medo, ou muito possivelmente ambos, já que essas não são de forma alguma emoções incompatíveis. Era, pelo menos, absolutamente eficaz. Ao seu comando, ela consentiu em se passar por sua irmã, embora ele tenha encontrado os limites de seu poder sobre ela quando tentou torná-la sua cúmplice direta em um assassinato. Ela estava pronta para advertir Sir Henry até onde podia, sem implicar o marido, e estava sempre tentando fazê-lo. O próprio Stapleton parece ter sido capaz de ter tido ciúme, e quando viu o baronete cortejando sua esposa, muito embora isso fizesse parte de seu plano, não conseguiu se impedir de interferir com uma explosão apaixonada que revelou a alma irascível que suas maneiras controladas ocultavam tão habilmente. Ao encorajar a intimidade, assegurou-se de que Sir Henry iria com frequência à Casa Merripit e que, mais cedo ou mais tarde, teria a oportunidade que desejava. No dia da crise, porém, sua esposa se voltou subitamente contra ele. Ela tinha ouvido sobre a morte do condenado e sabia que o cão estava sendo mantido na casinhola na noite em que Sir Henry viria jantar. Ela acusou o marido pelo crime que pretendia cometer, e seguiu-se uma cena furiosa, em que ele lhe mostrou pela primeira vez que ela tinha uma rival em seu amor. Em um instante, a fidelidade da mulher transformou-se em amargo ódio e ele viu que ela o trairia. Ele a amarrou, portanto, para que ela não tivesse nenhuma chance de avisar Sir Henry, e ele esperava, sem dúvida, que quando toda a região atribuísse a morte do baronete à maldição de sua família, como certamente faria, seria capaz de convencer a mulher a aceitar um fato consumado e permanecer em silêncio a respeito do que sabia. Com isso, imagino que, de qualquer modo, ele tenha cometido um erro de cálculo e que mesmo que não estivéssemos ali, sua condenação teria sido selada. Uma mulher de sangue espanhol não tolera uma afronta como essa tão facilmente. E agora, meu caro Watson, sem me referir às minhas anotações, não posso lhe dar uma descrição mais detalhada desse curioso caso. Parece-me que nada de essencial ficou sem explicação."

— Ele não podia esperar matar Sir Henry de medo, como fizera com o velho tio com seu cão funesto.

— A besta era selvagem e estava quase sempre faminta. Se a aparência não assustasse a vítima até a morte, pelo menos paralisaria a resistência que poderia ser oferecida.

— Sem dúvida. Só resta uma questão. Se Stapleton recebesse a herança, como ele poderia explicar o fato de que ele, o herdeiro, estava vivendo sob outro nome tão perto da propriedade? Como ele poderia reivindicá-la sem causar suspeita e indagação?

— De fato é uma questão de dificuldade tremenda, e receio que você esteja pedindo muito de mim ao esperar que eu a resolva. O passado e o presente estão no campo da minha pesquisa, mas o que um homem pode fazer no futuro é uma questão difícil de responder. A Sra. Stapleton ouviu o marido discutir o problema em várias ocasiões. Havia três cursos possíveis. Ele poderia reivindicar a propriedade a partir da América do Sul, comprovando sua identidade perante as autoridades britânicas de lá e assim obter a fortuna sem jamais pôr os pés na Inglaterra; ou ele poderia adotar um elaborado disfarce durante o pouco tempo que ele precisasse permanecer em Londres; ou, então, ele poderia fornecer as provas a um cúmplice, estabelecendo-o como o herdeiro, e conservando o direito sobre certa proporção de sua renda Não podemos duvidar, pelo que conhecemos do homem, que ele teria encontrado alguma saída para a dificuldade. E agora, meu caro Watson, tivemos algumas semanas de trabalho pesado e, por uma noite, acho que podemos voltar nossos pensamentos para coisas mais agradáveis. Eu tenho um camarote para Les Huguenots. Você já ouviu falar de De Reszkes? Poderia então lhe pedir que esteja pronto em meia hora, de modo a podermos passar no Marcini's para um jantarzinho no caminho?

PandorgA

editorapandorga.com.br
/editorapandorga
@pandorgaeditora
@editorapandorga